MW00807762

Chic

UM GUIA DE MODA E ESTILO PARA O SÉCULO XXI

GERENTE/PUBLISHER Jeane Passos de Souza (jpassos@sp.senac.br)

COORDENAÇÃO EDITORIAL/PROSPECÇÃO Luís Américo Tousi Botelho (luis.tbotelho@sp.senac.br)
Dolores Crisci Manzano (dolores.cmanzano@sp.senac.br)
COMERCIAL comercial@editorasenacsp.com.br
ADMINISTRATIVO grupoedsadministrativo@sp.senac.br

EDIÇÃO DE TEXTO E PESQUISA Leusa Araujo
PREPARAÇÃO DE TEXTO Luciana Garcia, Maísa Kawata
REVISÃO DE TEXTO Célia Regina N. Camargo, Luiza Elena Luchini (coord.)
PROJETO GRÁFICO Flávia Castanheira
ILUSTRAÇÕES Adriana Alves

Editora Senac São Paulo
Rua 24 de Maio, 208 - 3º andar - Centro - CEP 01041-000
Caixa Postal 1120 - CEP 01032-970 - São Paulo - SP
Tel. (11) 2187-4450 - Fax (11) 2187-4486
E-MAIL editora@sp.senac.br
http://www.editorasenacsp.com.br

Dados Internacionais de Catalogação na Publicação (CIP)
(Câmara Brasileira do Livro, SP, Brasil)

Kalil, Gloria
Chic : um guia de moda e estilo para o século XXI / por Gloria Kalil. - São Paulo : Editora Senac São Paulo, 2011.

Bibliografia
ISBN 978-65-5536-514-6 (Venda internacional)

1. Beleza – Cuidados 2. Individualidade 3. Moda 4. Moda – Aspectos sociais 5. Moda – Estilo 6. Vestuário I. Título. II. Título: Um guia de moda e estilo para o século XXI.

11-07905 CDD 646.3

Índice para catálogo sistemático:
1. Moda: Estilo de vestir: Administração da vida pessoal 646.3

por **Gloria Kalil**

Chic

UM GUIA DE MODA E ESTILO PARA O SÉCULO XXI

EDITORA SENAC SÃO PAULO – SÃO PAULO – 2011

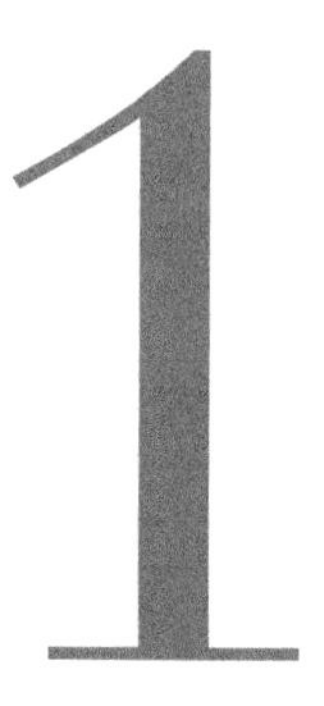

8

Nota do editor

Desde a primeira edição de *Chic: um guia básico de moda e estilo*, em 1996, muita coisa mudou na maneira das pessoas se apresentarem e se relacionarem entre si. Antes, preocupados em serem aceitos, os indivíduos queriam se parecer com aqueles que faziam parte de sua tribo urbana. Com o passar do tempo, a atenção voltou-se para outro lado. Agora, o importante é se destacar e evidenciar sua individualidade.

"O estilo se serve da moda para a revelação da identidade", afirma Gloria Kalil. Mais importante que estar na moda ou seguir tendências, ter um estilo pessoal é importante instrumento para que as pessoas se destaquem em meio a tantas outras.

Atento às mudanças da sociedade, o Senac São Paulo apresenta *Chic: um guia de moda e estilo para o século XXI*, com capítulos totalmente reformulados para atender aos novos desejos das pessoas. O objetivo do livro é mostrar elementos básicos para que a mulher conheça seu corpo e aprenda a dar valor às suas características físicas, seja com uma roupa, seja com uma maquiagem que a valorize. Após identificar seu estilo, a mulher começará a colocar em prática as dicas aqui apresentadas e aos poucos e naturalmente as informações serão incorporadas no seu dia a dia sem nenhum sofrimento.

Para minha mãe, a pessoa mais chic que conheci.

1 Por que atualizar o *Chic*?

"Estilo é o que faz de você única."

A frase, que abria o *Chic: um guia básico de moda e estilo*, escrito em 1996, continua valendo. Não é pouca coisa, se levarmos em conta todas as mudanças que aconteceram na moda e no mundo daquela data para cá. Não me esqueço de que, quando anunciei para alguns amigos que estava pensando em fazer um guia de moda e estilo para o público feminino, um deles me aconselhou: "Tire a palavra estilo do título; ninguém sabe bem o que é". "O importante", advertia ele, "é a moda!"

Considerei o palpite, mas resolvi manter a ideia. Na minha visão, as mudanças de comportamento dos anos 1990 (globalização, queda do muro de Berlim, Mercado Comum Europeu, informática, celulares, internet) apontavam para a valorização da individualidade — o que levaria a moda a ser instrumento importante para a realização do estilo pessoal.

A partir daí, o estilo se impôs e se tornou natural em nossa vida e reflete todas as nossas escolhas: o lugar onde vamos morar, a decoração da nossa casa, os móveis dentro dela, os filmes, a cidade onde passamos o verão... e o que vestimos para nos apresentar ao mundo. O estilo se serve da moda para a revelação da identidade.

Assim, o *Chic* tornou-se o primeiro guia brasileiro preocupado em facilitar as nossas escolhas diante da moda, antes mesmo que o estilo se tornasse mais importante que a própria moda.

Breve retrospectiva

Até os anos 1950, a moda ainda era uma manifestação nítida de classe social, que excluía todos os que não podiam seguir as tendências ditadas pela alta-costura da Europa. Os estilistas franceses eram considerados verdadeiros ditadores. Olhe a foto ao lado: Christian Dior, em 1953, armado da sua fita métrica, impondo o comprimento para as saias como quem assina um decreto-lei irrevogável! Nenhuma chance de desobedecer, mesmo que o tal comprimento não fosse a melhor proporção para você e para suas pernas! A moda da época não levava em conta a individualidade. Ela era uma manifestação de classe, e não de estilo pessoal.

Christian Dior impõe o novo comprimento das saias. 1953, França.

A primeira mexida nessa estrutura de poder foi dada nos anos 1960. O mundo da moda passou a refletir a ruptura entre a cultura estabelecida e a contracultura.

Os principais responsáveis por esse questionamento foram os jovens que saíram às ruas, recusando o alistamento militar, reivindicando direitos e quebrando convenções. Aliás, os "jovens", como categoria, começaram a existir a partir daí; passaram a ter moda, música e linguagem próprias. E, desde então, nada mais foi como antes...

Com essa virada, a alta-costura e o *establishment* foram contestados e perderam o centro de comando. O prêt-à-porter e a contracultura entraram em cena para ficar, até que os 1990 chegaram para quebrar muros e fronteiras: a proposta era a globalização. Não mais cultura e contracultura. Não mais conservadores de um lado e revolucionários de outro. O mundo era um só corpo unido pela internet.

O fenômeno da globalização acabou por trazer consigo um paradoxo: a fragmentação social em "tribos urbanas". Cada uma com ideário próprio. No meu livro *Chic homem: manual de moda e estilo*, de 1998, estávamos vivendo o auge desse "tribalismo". Nem pensar em falar de estilo sem perguntar "Qual é a sua tribo?". Pois cada tribo vestia o que pensava.

Esse fenômeno de fragmentação trouxe as ruas para o alto da pirâmide da moda. Assim, em vez de tendências ditadas por estilistas da alta-costura, os "senhores da moda" se multiplicaram e passaram a ser todos os frequentadores da rua: praticantes de esportes, baladeiros, velhinhas a caminho da igreja, góticos com suas roupas negras, *nerds* colados aos seus computadores e *gadgets* de última geração.

Mais democrática, a moda passou a incluir pessoas em vez de excluí-las, como antigamente. Porém, mesmo diante dessa pluralidade, a importância de ter estilo sobreviveu — seja em que tribo for!

Individualidade completa

Passados quinze anos da primeira edição do *Chic*, muito do seu conteúdo – ampliado nesta edição – continua valendo. O exercício de estilo em busca de individualidade que propúnhamos nos anos 2000 se mostrou tão importante quanto "estar na moda".

O desejo de "ser única" criou novas necessidades e produtos sob medida – especialmente no território da beleza do corpo. Por isso, não foi possível manter várias dicas para cortes de cabelos e tratamentos de beleza da edição dos anos 1990. A tecnologia e a velocidade das descobertas científicas mudaram completamente o panorama daquele tempo para cá. O capítulo "Beleza sem bisturi" sumiu desta nova edição.

Já a estrutura do livro como guia, cheio de vinhetinhas para chamar a atenção e facilitar a leitura, foi mantida.

Outra novidade considerável foi a ampliação e a apresentação do capítulo "Os biótipos". Apesar de toda a minha experiência com moda, e de ter me tornado uma "serial Chic" (depois do primeiro *Chic*, fiz mais três livros com a palavra "chic" no título), convidei um grupo de meninas com corpo real para trazer seus problemas no vestir. Juntas, e com toda uma equipe de produtores, *beauty artists* e fotógrafos, buscamos a solução do guarda-roupa mais adequado para as proporções de cada tipo físico. Tudo comprovado nas fotos, como você vai ver.

Espero, com isso, conseguir mostrar às pessoas o quanto aprendemos, todos os dias, com novas informações, e também na frente do espelho, com o nosso corpo. E quais as maneiras de valorizar os pontos fortes – sejam quais forem!

É bom esclarecer que não fizemos nenhum tratamento de imagem para melhorar as silhuetas ou modificar formas e volumes do nosso *casting*. Foi tudo sem Photoshop! Um desafio para elas, que tiveram de revelar "seus pontos fracos" e se submeter a um verdadeiro laboratório de moda. Nem sei como agradecer tanta disponibilidade e vontade de acertar e ajudar.

Nesta nova entrada do *Chic*, torço para encontrar cada vez mais leitoras que entenderam por que não basta estar na moda ou ter dinheiro para "ser chic". Ser chic, para mim, é ter estilo: juntar o melhor da aparência com o melhor do conteúdo. Fazer escolhas acertadas para o guarda-roupa e para a vida pessoal com o mesmo cuidado e apuro com que trata a própria inteligência, o outro, a cidade, o ambiente em que se vive. Eis aqui o novo *Chic*, pronto para acompanhar você no século XXI.

Não custa repetir: ninguém é chic se não for civilizado.

2

O que é estilo?

O estilo é mais do que uma maneira
de se vestir: é um modo de ser, de viver
e de se relacionar com o mundo.
Nele estão suas escolhas particulares,
desejos, humores e até mesmo suas fantasias.
A moda é uma proposta da indústria.
O estilo é uma escolha pessoal.
Moda é oferta. Estilo é escolha.
O estilo se utiliza da moda para
renovar o seu repertório.
A moda passa, o estilo permanece.

"O estilo está acima da moda. Usa suas ideias e sugestões sem aceitá-las todas. Um homem ou uma mulher de estilo jamais modificam radicalmente seu jeito de se vestir em função da moda", diz o estilista italiano Giorgio Armani.

Por também acreditar nisso, pretendo mostrar como é possível encontrar o próprio estilo — essa via de acesso ao singular — decifrando os problemas da moda e do comportamento, já que passei a vida estudando e observando esses assuntos.

A moda

Toda estação, industriais e estilistas propõem novas modas: uma cor diferente, um comprimento mais curto (ou mais comprido), um bico de sapato contrário ao da temporada anterior, um tecido novo. Dessa maneira, fazem com que as indústrias trabalhem e a economia global gire. É isso a moda: um sistema de renovação permanente das maneiras de se vestir e de se comportar que estimula as pessoas a comprarem coisas novas para se distinguirem umas das outras e para se sentirem par a par com a contemporaneidade. Isso é um fenômeno relativamente novo na história da humanidade, se considerarmos a preocupação do homem com a roupa desde a época das cavernas. Prova de que foi possível viver por muito tempo sem a moda.

Até o final da Idade Média, por exemplo, um traje durava séculos. Com pequenas variações em função da posição social, de um enfeite ou outro, egípcios, gregos e romanos usaram a mesma túnica ao longo de toda a Antiguidade.

Entre os medievais, a túnica com colante para os homens e o camisolão para as mulheres sobreviveram por centenas de anos... Só no final do século XIV, quando começa a se reconhecer como indivíduo, e não como um ser cujo destino estava colado ao da comunidade, o homem sentiu maior necessidade de diferenciar-se dos demais.

A partir daí, a moda se tornou um sistema em que as mudanças passaram a ser aceitas e criadas como uma necessidade contínua de novas expressões até chegar ao exagero de hoje, quando ela muda suas propostas permanentemente.

O estilo

Diante de tantas e tão variadas ofertas da moda, o estilo entra e se impõe. Faz suas escolhas, elege alguns itens, dispensa outros. Seleciona, separa, organiza até ficar com o que combina com os seus traços — resgata apenas aquilo que se parece com ele.

Mas é bom lembrar: não é *qualquer escolha*. Tem que ser uma escolha proposital, informada, precisa. Senão, qualquer um teria estilo: "No fim das contas, todos escolhem — de uma forma ou de outra — o que vão vestir, como vão se apresentar...", você poderá dizer. Ora, é justamente neste *de uma forma ou de outra* que está a diferença.

Quem tem estilo faz escolhas de forma consciente, coerente e sistemática, com o objetivo de ser visto exatamente como planejou. Mais do que o ato de escolher, quem tem estilo faz um depoimento de si mesmo, com toda a nitidez. De longe dá para saber que tipo de pessoa você é. O estilo manifesta a sua identidade social e sinaliza para os outros de que modo você quer ser tratada e avaliada.

Estilo é muito mais importante do que moda. Estar na última moda não é nenhuma garantia de estilo. Muito ao contrário: quem adere indiscriminadamente a todas as novidades que a moda propõe não tem estilo pessoal nenhum; fica sempre com a cara da moda e nunca com a própria cara.

Com o passar do tempo

Na sua trajetória de construção do estilo, você vai dar de cara com as imposições do tempo. Não acredite que você pode repetir infinitamente o que lhe cai bem aos vinte anos. Seu corpo vai mudar, suas ideias evoluem. Nada fica estático, por mais que você tenha uma personalidade definida. Com qualquer idade você pode continuar sendo uma mulher contemporânea.

Acho compreensível que uma jovem mulher, no auge da sua idade reprodutiva, exiba sua composição hormonal (ainda que de modo inconsciente) usando uma minissaia curtíssima ou um decote exagerado. No jogo de sedução, ela diz claramente a que vem.

Ao longo dos anos, quando essa jovem mulher não tiver mais o compromisso com a reprodução, sua sexualidade vai se expandir de outro modo e, então, não são mais as saias curtíssimas nem o peito pulando do decote os seus pontos de atração. O seu mecanismo de sedução será diferente: uma aparência refinada e que valoriza cada parte do corpo, sem uma exibição exagerada, uma conversa inteligente. Essa mulher é mais seletiva quando provoca. Porém, continua ousada, sexy e atraente.

A jovem mulher é a gatinha dos pés a cabeça. A mulher madura, uma linda raposa prateada. Suas roupas, sua maquiagem, suas atitudes e seu modo de viver também seguem essa transformação.

Ser chic

Quem está bem vestido, com gosto e originalidade, revela uma boa dose de autoestima. Ou seja, se me trato bem, os outros tenderão a fazer o mesmo: trate-se com elegância que o mundo responderá com elegância.

Quando você está confortável dentro de uma roupa, se ela demonstra com sutileza sua personalidade e a originalidade da escolha — ou até mesmo certa ousadia —, você terá grandes chances de sentir-se bem.

Pretendo, com este livro, dividir com você as informações que tenho sobre o assunto para ajudá-la a se sentir mais bonita, mais segura e mais à vontade no mundo — o que já é meio caminho andado para viver bem.

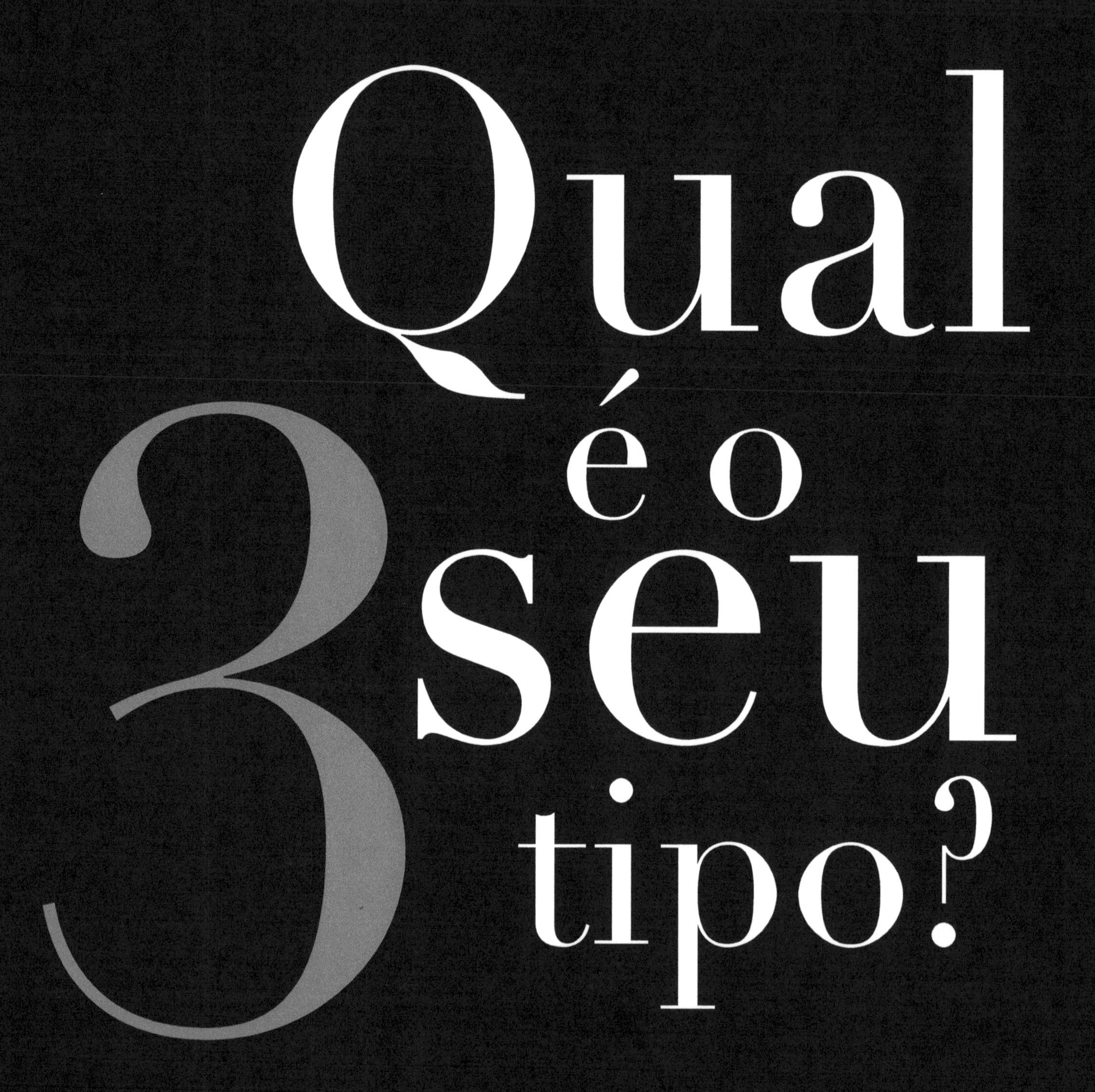
3
Qual
é o
seu
tipo?

Andando pelas ruas de Milão, olhando as vitrinas, ela percebeu uma mulher simpática, razoavelmente bem vestida, vindo em sua direção. Sorrindo, elas se olharam...
A seguir, cumprimentaram-se com o mesmo gesto. As duas foram se aproximando até que ela bateu com a cabeça no vidro da loja. A mulher para quem vinha fazendo sinais era ela própria. Sabia tão pouco de si mesma que nem sequer reconheceu a própria figura refletida na vitrina da grande cidade.
O caso é mais comum do que se imagina. Temos uma noção vaga do que somos, de como é nossa verdadeira aparência. E, sem esse conhecimento, é impossível ter estilo próprio.

Não basta se olhar de frente. O mundo vê você em três dimensões. Como você é de costas?

Desde cedo descobri a utilidade e a graça de olhar em múltiplos espelhos, como num provador, onde é possível enxergar o próprio corpo de frente e de costas... como, afinal, todo mundo nos vê. Tratei de encarar o espelho como o primeiro aliado na busca de um estilo que favorecesse minhas características físicas, fazendo o que acabei por chamar de "exercício de realidade" — que é olhar-se de todos os ângulos para formar uma visão correta e precisa das próprias *proporções*.

A maioria das pessoas não tem uma visão tridimensional de si mesma. Homens, então, nem se fala. Em geral, eles só se veem "do ponto de vista da barba", isto é, do peito para cima. Muitos não se olham de corpo inteiro, e quase todos nunca se viram de costas. Nem vestidos nem nus.

Não pense que as mulheres que se demoram horas diante do espelho são muito diferentes. Em geral, elas se olham apenas de frente! E, pior ainda, só o rosto. Poucas vezes conheci uma mulher que soubesse se está bem vestida ou penteada quando vista de costas. No entanto, é muito simples dar um jeito nessa situação: bastam dois espelhos nas portas dos armários e você poderá checar sua figura todos os dias, por todos os lados.

Aí está o primeiro passo, fundamental para aprender a escolher as peças que realmente lhe caiam bem. Ter uma visão realista do seu corpo. É preciso vencer as resistências.

Faça perguntas do tipo: minhas costas são retas? Como nasce o meu cabelo? Tenho corpo comprido? Minhas pernas são curtas? Como são os meus braços? Meu quadril é proporcional? E tente responder, com toda a franqueza, a duas perguntas-chave: "Afinal, quais são os pontos fortes que eu devo valorizar?", e "Quais os pontos fracos que desejo esconder?".

Visão realista

O mínimo que se espera de alguém diante do espelho é que encare a *realidade*. É o que faz com que você não alimente uma imagem fantasiosa de si mesma. De que adianta lembrar-se do tempo em que era jovem, magra, de cintura fina, se hoje você é uma mulher a dez quilos dessa imagem?

Ou você encara essa nova mulher e passa a vesti-la bem, ou continuará infeliz sem tirar melhor proveito da pessoa que se tornou hoje.

A maioria das pessoas acredita se conhecer o suficiente: "De que adianta olhar? Já sei o que vou encontrar!". Não é verdade. Você pode interferir no corpo com regimes, ginástica e roupas adequadas.

Conheci uma mulher que, desde que tivera os filhos, passou a ter um peso muito acima do que considerava normal. Toda vez que nos encontrávamos, ela repetia, infeliz: "Preciso perder peso...", ou "Não saio muito de casa porque não tenho nada que me sirva".

Alguns anos se passaram, a cantilena se mantinha, até que não resisti a lhe fazer uma pergunta: "Há quanto tempo você está fora do seu peso?". Ela refletiu um pouco e confessou, desconcertada: "Há vinte anos!". Não pude me conter e respondi: "Sinto muito, você não *está* gorda. Você *é* gorda!".

Será que eu mudei durante a noite? Deixe ver: eu era a mesma quando me levantei hoje de manhã?

Lewis Carrol, *Alice na casa dos espelhos.*

Na verdade, durante vinte anos ela alimentou uma fantasia: a da mocinha com cintura fina, antes de ter os bebês. No entanto, inúmeros problemas certamente a fizeram descuidar-se das dietas e dos tratamentos. Enquanto ela achava estar temporariamente fora de peso, ia disfarçando uma situação que havia se tornado crônica. Jamais enfrentou os problemas do seu guarda-roupa, da sua aparência e da sua identidade.

A melhor imagem

Depois de uma olhada séria no espelho, você já ganhou coragem suficiente para investigar mais sobre sua imagem. Procure outros meios de tornar mais nítida a sua visão. Vasculhe as *fotografias* e acabará achando aquelas que você colocaria sem problemas num porta-retratos. Saiba mais o porquê da preferência e faça o mesmo com aquelas do fundo da caixa, que você gostaria de apagar para sempre, tantos são os vestígios indesejáveis...

E, por último, se tiver oportunidade, procure saber como é a sua imagem em vídeo. Será uma experiência tão surpreendente que só pode ser comparada à primeira vez que ouvimos nossa voz na secretária eletrônica e reagimos, quase indignados: "Eu não tenho essa voz!".

A imagem gravada é *fatal*. Está tudo lá: o jeito de andar, os vícios de postura, os melhores e os piores ângulos para disfarçar o nariz pontudo, a elegância de um gesto, o cabelo que ficou bem... Serão pistas valiosas para a tarefa de construir o próprio estilo! Grave essas impressões e guarde-as bem.

Você é única

Olhe-se no espelho. Não há ninguém no mundo como você. Por mais que se pareça com alguém, mesmo uma irmã gêmea, há traços de personalidade e até pequenos detalhes físicos que fazem você diferente.

Única.

4 Os biótipos

Tronco longo, perna curta, quadril pesado, muito busto, braço fino, muita altura, pouca altura, tornozelo grosso, ombro caído... Não importa o seu tipo físico, descubra as peças do guarda-roupa que disfarçam suas imperfeições e valorizam seus pontos fortes.

Na hora de definir o tipo físico, a maioria das pessoas costuma levar em conta apenas duas medidas: a altura e o peso. Ou se é alta ou baixa ou se é gorda ou magra. No entanto, há muitas outras características a serem observadas.

Ninguém precisa me dizer, por exemplo, que tenho o tronco curto e as pernas compridas. As pernas longas — faço questão de valorizá-las. Em compensação, minha silhueta fica muito mais equilibrada quando disfarço meu tronco curto. Como? De muitas maneiras. Por exemplo, ninguém *jamais* me verá vestindo blusas por dentro de calças ou saias de cintura alta. Uso sempre blusas para fora da calça, ou então dou um efeito blusê – prendendo e afofando as peças na cintura – para que a blusa caia por cima da parte de baixo e não marque a linha natural da minha cintura, criando a ilusão de tronco mais longo.

A partir de observações pessoais como essas, é possível entender por que uma peça não pode ser a mesma no guarda-roupa de tipos diferentes de mulheres.

Os tipos básicos

Numa observação mais detida, pode-se constatar que nosso corpo costuma apresentar quatro tipos de configurações básicas:

- TRONCO LONGO COM PERNAS CURTAS
- TRONCO CURTO COM PERNAS LONGAS
- TRONCO E BUSTO MAIS PESADOS DO QUE O QUADRIL
- TRONCO LEVE COM QUADRIL AVANTAJADO

Quem estiver fora desses modelos pode comemorar e subir na passarela. Porque a grande maioria dos mortais — homens e mulheres — se queixa exatamente das dificuldades dessas proporções. Às vezes, elas são mínimas, a ponto de as pessoas nem saberem identificar. Não é à toa que a moda se preocupa tanto em oferecer peças para serem compostas, pois é mais fácil usar uma saia + blusa, ou paletó + calça, do que acertar a silhueta numa única peça, como um vestido.

Ao combinar peças separadamente, a margem de manobra será maior e ficará mais fácil valorizar os pontos fortes e disfarçar as imperfeições.

Além desses quatro tipos básicos, podemos acrescentar o biótipo da *baixinha*. Porque, mesmo no caso de um corpo bem-proporcionado, é um tipo que costuma ser desfavorecido pela moda. Será de grande valia, portanto, aprender alguns truques na combinação de roupas para dar a ilusão de uma silhueta mais alongada.

Mostra e esconde

São muitas as táticas que você pode usar para equilibrar a sua aparência. Conheça algumas regras gerais para tirar o melhor proveito de cores, tecidos e padronagens:

- Cores escuras disfarçam volumes, enquanto as claras realçam.
- Tecidos leves e secos disfarçam volumes, enquanto os pesados, felpudos e com pelos os realçam.
- Na presença de uma cor vibrante, o escuro tende a desaparecer.
- Tecidos opacos são mais fáceis de ser usados do que os brilhantes.
- Estampas sobre fundo escuro são emagrecedoras, enquanto as sobre fundo claro engordam a silhueta.
- Listras e detalhes horizontais achatam a sua figura, enquanto listras verticais alongam.

dica definitiva

Para quem gosta de malhas justas: listras verticais em regiões com muito volume (muito busto, culotes, quadris avantajados, pernas muito grossas), em vez de alongar, produzem um efeito de "calçada de Copacabana" totalmente indesejado e engordativo.

Pontos a serem disfarçados

Embora as meninas sejam lindas, a cor clara evidencia os pontos a serem "disfarçados". Dá para ver que a primeira tem o **tronco curto** *em relação às pernas; a segunda, ao contrário, tem as* **pernas curtas**; *a terceira é* **baixinha**, *com 1,50 m; a quarta tem o* **tronco pesado**, *e a quinta concentra* **maior volume no quadril**.

O bom uso do claro/escuro

Repare como já melhorou – só por conta do bom uso do claro/escuro.
A cor escura **encompridou** *o tronco da primeira;* **esticou** *as pernas da segunda (com a ajuda do salto);* **aumentou** *a altura da baixinha (também com auxílio do salto);* **disfarçou** *o tamanho do peito da quarta; e* **diminuiu** *o quadril da última. Tudo sem nenhum traço de Photoshop.*

tronco curto PERNAS LONGAS

Gabriela tem o tronco curto e as pernas longas e finas. É um problema traiçoeiro, pois a maioria das pessoas nem percebe que é assim. Mas ela reconhece o caso e aprendeu a driblar: só usa blusas por fora de calças ou saias para disfarçar a linha natural da cintura e equilibrar a proporção. Gosta de shorts e saias curtas, para valorizar o comprimento das pernas.

OBJETIVO: balancear a metade superior com a metade inferior, usando peças que permitam trazer a *cintura um pouco abaixo da linha natural*.
CONTRASTE CLARO/ESCURO: prefira escuro na parte de cima e claro na de baixo.
FORMAS/LINHAS: algo que oculte a linha natural da cintura, como roupas estilo império (com recorte logo abaixo do busto), ou que "espichem" o tronco: modelos anos 1920, de cintura baixa, e efeito blusê.
PADRONAGENS: qualquer uma.

Para usar tops, boleros e paletós curtos, opte por uma malha por baixo, por fora de calças ou saias, e que ultrapasse a linha da cintura.

Aposte em

PEÇAS DE CIMA

- Decotes em V profundo alongam a região do colo.
- Peças como batas, paletós e camisas, abaixo da cintura.
- Cintos abaixo da cintura ou finos e neutros, para não realçar a linha da cintura.

VESTIDOS

- De cintura baixa (anos 1920, por exemplo) ou algum modelo que oculte a linha natural da cintura, como tubos ou estilo império.

CALÇAS

- Calças de cintura levemente baixa.
- Calças sem cós.
- Calças estreitas e secas.

SAIAS

- Sem cós ou de cintura mais baixa, com zíper atrás, e que caiam nos quadris.
- Com detalhes na barra (babados, barrados, etc.), desviando a atenção da linha da cintura.
- Combinação de top comprido + míni sem volume.

JEANS

- De cós baixo e longo no comprimento.
- Skinny comprido.
- Modelo *boyfriend*, que cai nos quadris, pode ser uma boa alternativa para momentos de lazer.

TERNOS

- Comprimento: paletós abaixo da cintura + calças com qualquer largura de perna ao sabor da moda do momento.

PARA AS PERNILONGAS COMO GABRIELA, O MELHOR É USAR CALÇAS QUE TENHAM O CÓS DOIS DEDOS ABAIXO DA CINTURA.

TOPS SEMPRE FICAM MELHOR POR CIMA DA CALÇA.

BOA IDEIA! BAINHA ASSIMÉTRICA SUBINDO E DESCENDO DA LINHA DA CINTURA.

O TOM ESCURO AFINA A SILHUETA.

O PROBLEMA NÃO ESTÁ NAS PERNAS; ELA PODE USAR O COMPRIMENTO QUE QUISER.

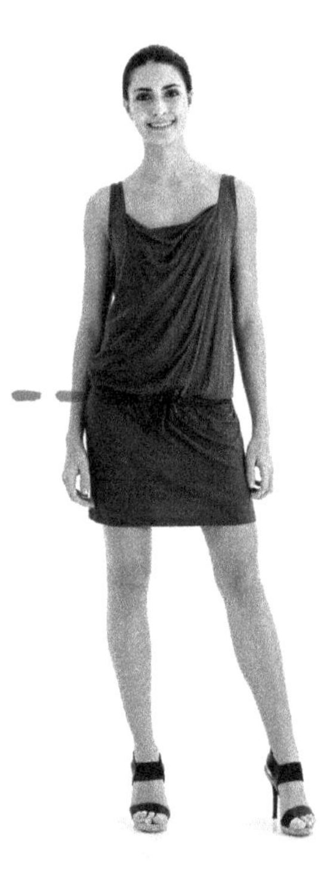

O VESTIDO QUE MELHOR SE ADAPTA A QUEM TEM A CINTURA ALTA É O QUE DESLOCA O OLHAR DO PONTO CRUCIAL COM UM CINTO BEM ABAIXO OU BEM ACIMA DA CINTURA.

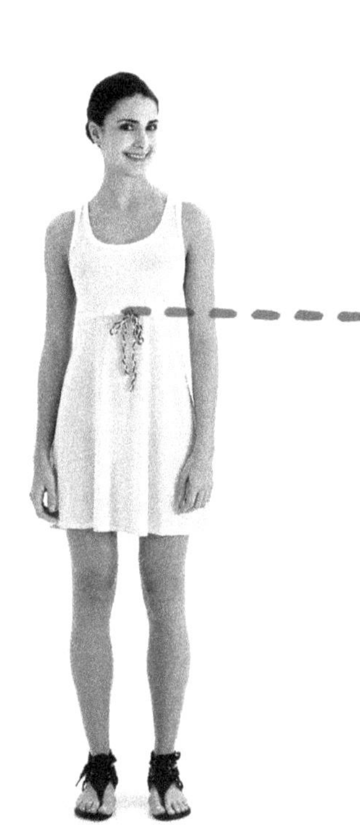

Saias muito curtas revelam a desproporção: **pouca roupa para muita perna!**

Se você tem corpo curto e peito grande, esqueça o tomara que caia com a cintura marcada no lugar. Mas, se quiser usar, prefira um corpete que ultrapasse a cintura.

Evite

- Decotes fechados, especialmente se você tiver seios grandes.
- Ombreiras volumosas em paletós curtos.
- Tops e paletós acima da cintura.
- Mangas curtas volumosas.
- Blusas de malha felpuda do tipo angorá ou mohair.
- Blusas de estampas grandes por dentro da calça ou da saia.
- Cinto marcando a cintura.
- Saias ou calças de cós largo e cintura alta.
- Ternos com paletozinhos curtos ou paletós com cinto apertado.

Use camisas e blusas **sempre** *por fora da saia ou da calça. Mas, se for usar a parte de cima por dentro da calça ou da saia, crie um* **efeito blusê***, para encompridar o tronco.*

TRONCO LONGO
PERNAS CURTAS

Bruna tem o tronco longo, pernas curtas e grossas. Não gosta de usar calças do tipo capri, corsário nem shorts porque essas peças fazem com que suas pernas pareçam mais curtas. Em compensação, gosta de chamar a atenção para o rosto e para o colo, e de usar roupas que distraem o olhar para a região da sua cintura.

OBJETIVO: balancear a metade superior com a metade inferior, usando peças que permitam trazer a *cintura um pouco acima da linha natural*. Isso diminui o tronco e alonga as pernas.

CONTRASTE CLARO/ESCURO: prefira claro na parte de cima e escuro na de baixo.

FORMAS/LINHAS: roupas estilo império (com recorte logo abaixo do busto), em linha A, e tubo não muito ajustado.

Aposte em

PEÇAS DE CIMA

- Brincos, echarpes e outros enfeites que chamem a atenção para o colo e o pescoço.
- Bolsos e recortes na parte de cima.
- Decotes canoa, quadrados e redondos.
- Túnicas e batas que não marquem a cintura.
- Camisas usadas por dentro da calça podem diminuir a altura da cintura.
- Cintos da mesma cor que a roupa da parte inferior do corpo.

VESTIDOS

- Estilo império, com recorte logo abaixo do busto, em linha A, e tubo sem cintura marcada.
- Comprimento: em torno dos joelhos ou acima deles.

SAIAS

- Curtas, de cintura alta.
- Com detalhes verticais, como costuras ou um discreto drapeado.
- Fendas na frente ou um pouco fora do centro dão ilusão de pernas mais longas.
- Secas e ajustadas, que parem acima dos joelhos.

CALÇAS

- De cintura alta.
- Clássicas, retas.
- Comprimento: barras mais longas para serem usadas com salto alto.

JEANS

- Com cós acima da linha natural da cintura e bocas retas ou suavemente abertas embaixo (flare).

DUAS PEÇAS

- Paletós compridos + saias curtas podem resultar numa boa proporção — assim como o oposto: paletós curtos, jaquetinhas e casaquetos + calças de cintura alta e bem compridas.

SALTOS

- Saltos altos, inclusive com plataformas.

PERNAS CURTAS AGUENTAM BEM AS MINISSAIAS. SE A PREFERÊNCIA FOR POR UMA SAIA LONGUETE OU LONGA, USE UM CINTO LARGO OU FAIXA, OU ESCOLHA UMA DE CÓS BEM ALTO.

O IMPORTANTE É QUE O CÓS SEJA ALTO E MARCADO PARA SUBIR A CINTURA.

A COR ESCURA DA SAIA DE CÓS ALTO AUMENTA AS PERNAS.

(O EFEITO SERIA O MESMO COM UMA CALÇA OU UM SHORT.)

SALTO ALTO AJUDA MUITO. EVITE OS MODELOS DE PULSEIRINHA, QUE CORTAM AS PERNAS.

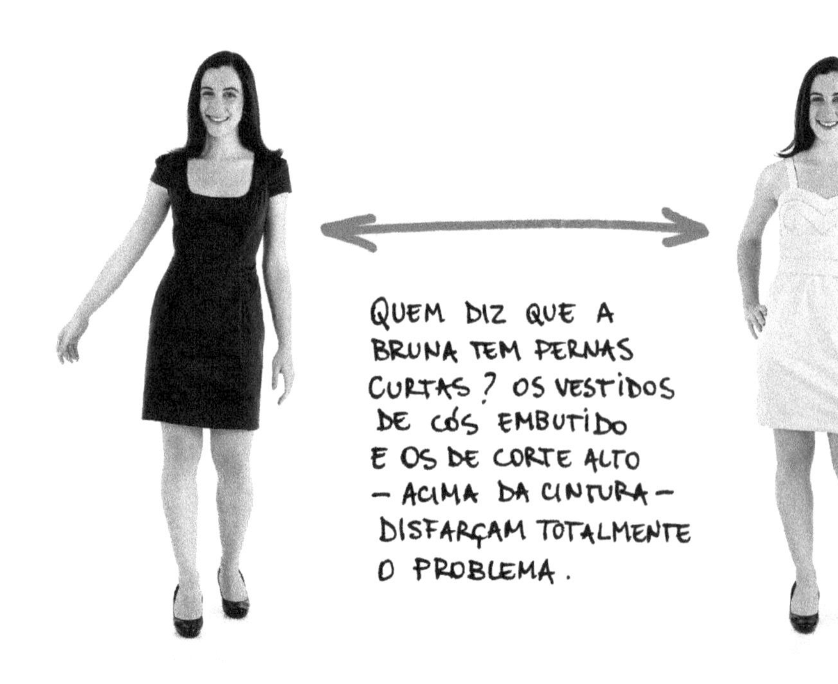

QUEM DIZ QUE A BRUNA TEM PERNAS CURTAS? OS VESTIDOS DE CÓS EMBUTIDO E OS DE CORTE ALTO – ACIMA DA CINTURA – DISFARÇAM TOTALMENTE O PROBLEMA.

dica definitiva

Se for usar camisas, blusas e outras peças de cima por fora da calça ou da saia, elas devem ser curtas, ou seja, por volta de 12 cm abaixo da linha da cintura.

Evite

- Decotes profundos em V, que aumentam o tronco.
- Blusas e tops de listras verticais.
- Suéteres, camisas ou túnicas com cinto na altura do quadril.
- Camisões, maxipulls e túnicas longas.
- Saias de cós baixo.
- Saias volumosas, pregueadas.
- Comprimento no meio da panturrilha (longuete).
- Qualquer modelo de vestido que acentue a linha natural da cintura.
- Calças de cós baixo.
- Bermudas e calças curtas, como capri, corsário, pescador.
- Pantalonas ou calças bocas de sino.
- Jeans de cós baixo e justo no quadril, ou qualquer um do tipo baggy.

BAIXINHA

Maíra tem 1,50 m de altura e um corpo bem proporcionado. Sabe lançar mão do efeito espichador das roupas escuras, da peça única, do jeans skinny, de calças de pernas longas e cintura alta, de minissaias e shorts. Não se deixa levar pelo look *peter-pan* vestindo-se de modo infantil só porque as pessoas a julgam tão pequena. Nem se empoleira em saltos altíssimos no dia a dia. Aprendeu a "crescer" escolhendo as roupas e os acessórios certos.

OBJETIVO: alongar a silhueta o máximo possível.
CONTRASTE CLARO/ESCURO: prefira o look total em uma única cor: o monocromático escuro.
FORMAS/LINHAS: cortes próximos do corpo, secos, puxando para a vertical e mais ajustados na linha natural da cintura.
TECIDOS: nada muito rígido, engomado.
PADRONAGENS: listras verticais e finas e detalhes verticais, como botões, pespontos e debruns.

Aposte em

PEÇAS DE CIMA

- Colares compridos, bolsas com alças compridas.
- Detalhes verticais na gola (botões, pespontos).
- Tops que se ajustem bem aos ombros.
- Cintos fininhos combinando com as calças, para não cortar muito a silhueta.

MALHAS

- Golas olímpicas pequenas.
- Decotes redondos, mais baixos.
- Suéteres justos ou semijustos que parem abaixo da linha da cintura.

PALETÓS, JAQUETAS, CASACOS

- Estilos mais curtos (casaquetos), sem muito enfeite, acinturados.
- Lapelas estreitas que terminem antes da linha natural da cintura.
- Abotoamentos simples – opte por um ou dois botões.
- Comprimento de casaco: prefira sete oitavos ou que cheguem no máximo até o joelho.
- Casacos com cintos ou bem acinturados (do tipo redingote – do inglês, *riding coat* –, casaco usado para cavalgar no século XVIII. Para as mulheres é mais ajustado, tipo vestido mantô).

SAIAS

- Mínis deixam a silhueta mais esguia.

VESTIDOS

- Tubos ajustados (estilo Audrey Hepburn), envelope, chemisier ou estilo império.

CALÇAS E SHORTS

- Formas secas, que parem abaixo dos tornozelos, e aquelas com o mínimo de pregas ou nenhuma na frente.
- Afuniladas ou levemente abertas embaixo (flare).
- Shorts: use e abuse.

JEANS

- clássicos, na linha natural da cintura, sem barra dobrada.
- Lavagens escuras.
- Skinny.

SALTOS

- Quadrados ou finos, mas sem exageros.

LOOK MONOCROMÁTICO
+
SALTO ALTO
=
BONS CENTÍMETROS A MAIS!

MEIAS DEVEM ACOMPANHAR SEMPRE A COR DA ROUPA OU DO SAPATO.

A CALÇA SKINNY É PERFEITA, POIS VERTICALIZA A FIGURA.

A COR ESCURA REFORÇA O EFEITO ALONGADO.

SALTO ALTO COM DEDO DE FORA AJUDA A DAR ALTURA.

A QUE VESTE (ATÉ SEM SALTO!)

A QUE VESTE

CÓS NA CINTURA DÁ CERTO EM QUEM É BEM PROPORCIONADA, COMO A MAÍRA.

MAÍRA VESTE BEM UMA CALÇA LIGEIRAMENTE ABERTA EMBAIXO, O QUE SERIA DIFÍCIL SE TIVESSE ALGUNS QUILOS A MAIS OU PERNAS CURTAS.

~~A QUE NÃO VESTE~~

CALÇAS BOYFRIEND OU FOLGADAS NÃO SÃO AS QUE MELHOR VESTEM AS BAIXINHAS.

BAINHA VIRADA CORTA O COMPRIMENTO DAS PERNAS.

SANDALINHAS BAIXAS, MAS BEM ABERTAS E LEVES, ALONGAM MAIS A SILHUETA DO QUE SAPATILHAS ESCURAS COMO ESTAS.

Evite

- Listras horizontais: têm efeito achatador.
- Formas muito volumosas, como drapeados poderosos, roupas baggy e oversized.
- Estampas gigantes.
- Ombreiras, bolsos, botões e cores contrastantes entre a parte de cima e a de baixo, cortando a silhueta.
- Babados, franzidos, sobreposições.
- Tricôs de pontos grossos.
- Paletós compridos, abotoamento duplo, lapelas largas.
- Comprimento longuete (no meio da panturrilha) para saias e vestidos.
- Calças capri ou corsário, que cortam a silhueta.
- Pantalonas.
- Calças de pregas.
- Meias na altura da canela ou dos joelhos, que diminuem o comprimento da perna.
- Bainhas largas ou pespontadas que chamem a atenção para o final da calça ou da saia.
- Sapatos muito altos e finos ou com plataformas exageradas.

Cabelos muito longos roubam mais alguns centímetros da sua altura.

pode? não pode?

Baixinha fica bem com bota por cima da calça skinny?
A bota sempre corta a silhueta, o que não é o melhor para quem tem pouca altura. Mas, se você gosta da ideia, combine botas escuras com calças escuras e botas claras com calças claras, ou seja, mantenha o look o mais monocromático que puder.

Tronco pesado

Pâmela tem o tronco pesado: braços fortes e busto volumoso. Para compensar, pernas bem torneadas, que ela aprendeu a valorizar com saias e vestidos curtos. Gosta de usar uma peça estruturada, de mangas longas, para disfarçar o volume da parte de cima, e também sabe valer-se de um ótimo sutiã — que não deforma nem aumenta ainda mais o busto. Sem esses cuidados, não há roupa que lhe caia bem!

OBJETIVO: alongar a região do colo e do pescoço e neutralizar o volume do tronco.
CONTRASTE CLARO/ESCURO: cores neutras e escuras na parte de cima.
FORMAS/LINHAS: secas, sem volume na parte de cima — como os estilos envelope, cache-coeur ou de colarinho aberto.
TECIDOS: secos, opacos, sem tramas.
PADRONAGENS: de preferência, tecidos lisos, e, no caso de estampas, sobre fundo escuro; detalhes na vertical na parte de cima: listras, debruns, recortes, botões, pespontos, etc.

Aposte em

PEÇAS DE CIMA

- Decotes que alonguem a linha do pescoço, principalmente em V profundo.
- Cache-coeurs – do francês, esconde coração –, blusa cruzada na frente.
- Mangas com detalhes simples.
- Ombros no lugar – respeitar a linha natural dos ombros dá uma aparência mais enxuta, magra.
- Tops ajustados, mas não agarrados, e que parem abaixo da cintura.
- Regatas por baixo de paletós e jaquetas, de preferência em cor escura.

MALHAS

- Tricôs de malha lisos.
- Tricôs de gola redonda, rasa ou em V, que deixem um pouco de pele à mostra.
- Cardigãs mais escuros, com decote em V, usados por cima da roupa.

PALETÓS, JAQUETAS

- Modelos ajustados ou semijustos que deixem bem à mostra a região do colo.
- Sem gola, de lapelas finas e estreitas, com abotoamento simples ou para serem usados sem abotoar na frente.

VESTIDOS

- Estilo camisa com colarinho aberto, envelope (transpassado), decote em V ou princesa.
- Comprimento: bem acima dos joelhos, para valorizar as pernas, se a idade permitir.
- Tecidos com movimento.

SAIAS

- Com detalhes de franzidos na parte de baixo, podem dar fluidez e chamam a atenção para as pernas.
- Ligeiramente amplas, para equilibrar com o tronco pesado e criar movimento.

CALÇAS

- Mais ajustadas, sem serem agarradas, usadas com paletós ou jaquetas que parem em torno dos quadris.

TERNOS

- Paletós com silhueta estreita.
- Paletós secos que param em torno dos quadris funcionam bem.
- Calças ajustadas.

SALTOS

- Altos, para alongar as pernas.

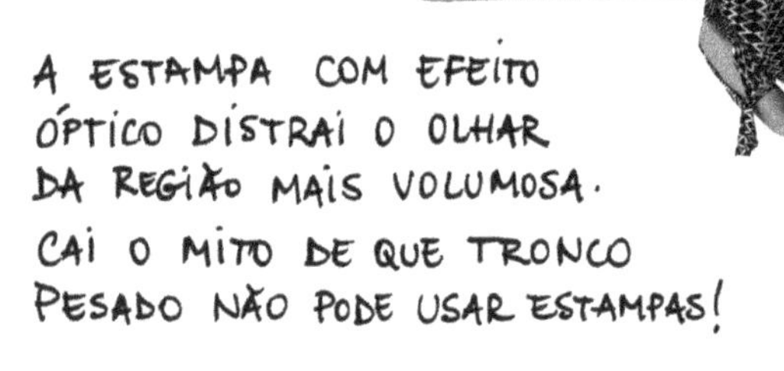

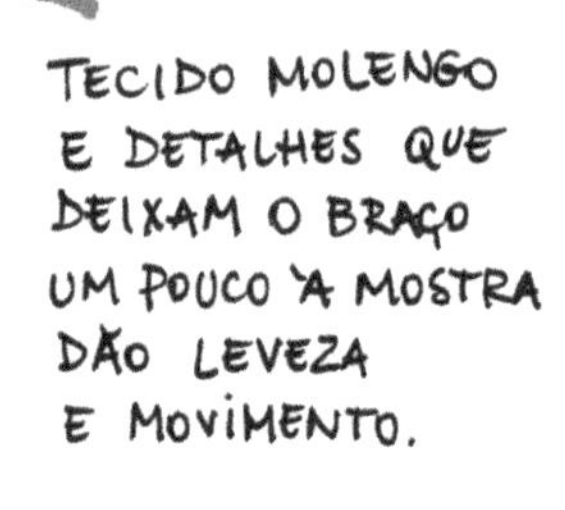

PARA MAIOR CONFORTO,
ABUSE DE PEÇAS ESTRUTURADAS,
COMO BLAZERS E JAQUETAS.

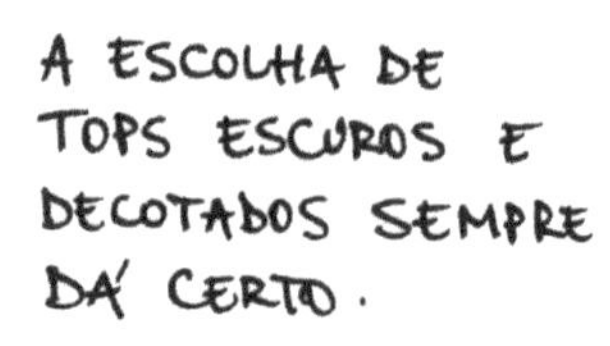

PÂMELA TEM PERNAS
BONITAS E FAZ MUITO BEM
EM CHAMAR A ATENÇÃO
PARA ELAS.

Nada de tecidos que colem no peito, como os elásticos; ou armados e com pelos, que aumentem, como o shantung, o tafetá e o mohair. Tecidos brilhantes também estão fora... Cores vibrantes na parte de cima só valem para pequenos acessórios.

Paletó: *verifique se o fechamento na linha do busto está correto, pois, se estiver apertando, dará a impressão de que vai estourar e abrir a qualquer momento!*

Evite

- Laços, echarpes, flores ou broches na lapela e outros detalhes que atraiam a atenção para o pescoço e o colo.
- Reduza os detalhes na parte de cima, como bolsos, franzidos, pregueados, drapeados, babados, ombreiras, etc.
- Decotes fechados, blusas de gola alta, malhas de gola rulê.
- Cavas muito grandes que deixem o sutiã à mostra.
- Mangas bufantes ou qualquer coisa baggy na parte de cima.
- Tops curtinhos, estampas graúdas e listras horizontais na parte de cima.
- Roupas estilo império, com recorte logo abaixo do busto.
- Paletós com muitos botões, lapelas largas ou modelos com cintos e bolsos aplicados.
- Jaquetas acolchoadas, em matelassê.
- Tricôs de pontos grossos, com tranças na frente, felpudos.

quadril **pesado**

Gabriele, assim como muitas brasileiras, tem o quadril pesado e o tronco delicado. Por isso escolhe peças com babados nas mangas, franzidos nos decotes, brilhos e outros detalhes que atraiam o olhar para o colo e o pescoço. Usa a peça de cima sempre por fora de calças ou saias. Mas o comprimento é o "x" da questão: deve ser mantido ou na região da cintura, ou abaixo dos quadris – e nunca parando sobre a área mais larga da silhueta, que é a região dos culotes.

OBJETIVO: disfarçar a região do quadril e chamar a atenção para o colo.
CONTRASTE CLARO/ESCURO: cores escuras na parte de baixo.
FORMAS/LINHAS: evasê, linha A moderada, estilo envelope.
TECIDOS: sóbrios, opacos, sem tramas na parte de baixo e leves na parte de cima.
PADRONAGENS: melhor os lisos ou estampas discretas sobre fundo escuro.

Aposte em

PEÇAS DE CIMA

- Decotes, transparências e brilhos que destaquem ao máximo a parte de cima de seu corpo.
- Decotes em V, princesa, frente única, de um ombro só — sempre deixando a pele à mostra.

SAIAS

- Evasês moderadas, envelope, ou com pregas costuradas, porém nunca nas laterais.
- Com detalhes verticais: com prega central ou pespontadas até embaixo para alongar sua silhueta.
- Sem cós e com algum movimento (nem justas nem rodadas).

VESTIDOS

- Linha A, envelope e estilo camisa com colarinho aberto.

CALÇAS

- De alfaiataria, com a frente plana ou com uma prega discreta — somente para dar mais espaço para coxas e traseiro.
- Comprimento do cós: no máximo, 1,5 cm de largura, imediatamente abaixo da cintura ou na linha dela.
- Sem bolsos laterais — considere costurá-los, se for o caso.
- Modelagem: descendo um pouco ajustada nas pernas e com boca de sino sutil (flare) pode balancear sua silhueta.

JEANS

- Escuros ou com lavagens escuras, boca estreita e stretch.
- Cós um pouco baixo, a fim de dar espaço para acomodar o bumbum.
- Modelo boot-cut (mais aberto desde o joelho, para permitir o uso de bota por baixo), que equilibra melhor um quadril pesado.

TERNOS

- Mangas com algum volume podem ajudar a balancear suas proporções.
- Detalhes e acessórios no alto do paletó, como broches, lenços, flores.
- Paletós ajustados que parem um pouco antes do quadril ou abaixo dele.

TOPS CLAROS E ENFEITADOS CHAMAM A ATENÇÃO PARA A PARTE DE CIMA.

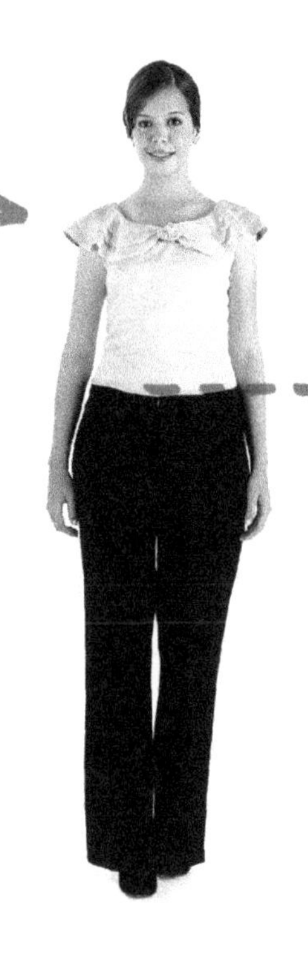

CÓS BAIXO PARA NÃO MARCAR A CINTURA E IMPEDIR O "EFEITO AMPULHETA".

A IMBATÍVEL CALÇA PRETA DIMINUI O VOLUME DOS QUADRIS.

A CALÇA RETA – NEM JUSTA NEM LARGONA – É UMA BOA PEDIDA.

PARA GABRIELE, QUE TEM BRAÇOS E TRONCO DELICADOS, UM MODELO QUE AUMENTE OS OMBROS AJUDA A DAR UMA PROPORÇÃO MELHOR AO QUADRIL.

VEJA A DIFERENÇA: MEIAS ESCURAS AFINAM PERNAS E CANELAS.

dica ótima

*Meias escuras opacas ou pretas arrastão **alongam** a silhueta.*

Se você não é baixinha, botas franzidas e coturnos são uma ótima saída para quadris grandes.

*Jeans, calças ou saias com bolsos pequenos ou desproporcionais atrás fazem o seu traseiro parecer **maior**.*

Evite

- Blusas por dentro da calça ou da saia.
- Cintos e faixas na altura do quadril.
- Cintos que marquem uma cintura fina, fazendo a popular "tanajura".
- Roupas de tecidos volumosos, como veludos e tweeds.
- Peças de baixo com bolsos grandes na frente – como as calças utilitárias.
- Saias, vestidos ou shorts muito curtos, deixando à mostra a região mais grossa da coxa.
- Saias e vestidos muito justos, franzidos, balonês.
- Saias com detalhes na barra: babados, camadas, etc.
- Calças de pregas.
- Calças de pernas muito amplas, ou o oposto: afuniladas.
- Jeans skinny, de cintura alta ou muito baixa.
- Fusôs, leggings e calças com stretch de cores claras.
- Sapatos delicados e meias claras, pois fazem com que as pernas pareçam mais grossas.

sem *bumbum*

Uma silhueta sem nenhum volume traseiro é desanimadora para o look e para o ego, principalmente quando entra em cena o imaginário brasileiro que tanto valoriza o bumbum. Alguns truques ajudam a dar volume onde você não tem...

OBJETIVO: dar volume ao traseiro.
CONTRASTE CLARO/ESCURO: cores claras na parte de baixo.
TECIDOS: tramados, como veludos e tweeds, para a parte de baixo; nada muito rígido ou colado.
PADRONAGENS: estampas e detalhes na horizontal na parte de baixo.

Aposte em

PEÇAS DE CIMA

- Blusas amarradas abaixo da cintura, com efeito blusê atrás.
- Cintos soltos sobre os quadris.

SAIAS

- Evasês de cintura baixa.
- Franzidas, com babados, balonês.

CALÇAS E SHORTS

- De cintura baixa.
- Com bolsos traseiros (coloque um lenço em cada bolso!)

JEANS

- De cós bem baixo, com detalhes nos bolsos de trás.

SALTOS

- Saltos altos projetam o bumbum para cima.

Evite

- Paletós curtos.
- Saias ou calças justas com blusas por dentro.
- Vestidos de malha colantes.
- Calças excessivamente baggy, especialmente aquelas com pregas.
- Jeans justos de cintura alta.

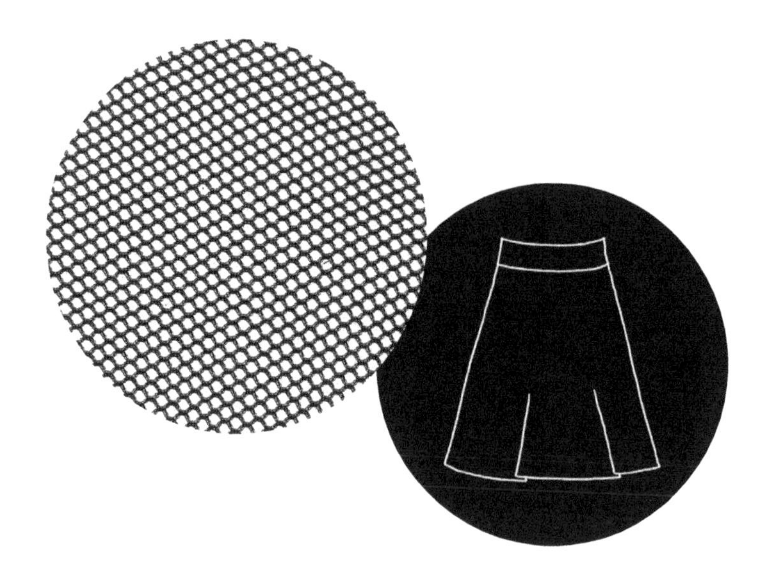

Pernas GROSSAS

É um problema localizado, mas poderoso, que faz você sentir-se gorda, mesmo estando em seu peso normal. Para compensar, use decotes, capriche nos tops e atraia o olhar dos outros para cima!

OBJETIVO: valorizar as regiões do corpo com menos volume: a parte de cima e a região mais estreita da perna.
CONTRASTE CLARO/ESCURO: cores escuras na parte de baixo.
TECIDOS: secos, opacos, sem volume, mas firmes o suficiente para não marcar a gordura localizada na coxa, culotes ou celulite.
PADRONAGENS: prefira os tecidos lisos e fuja de listras verticais para não dar o efeito "calçada de Copacabana".

Ao contrário do que se imagina, meias soquetes enroladas no tornozelo disfarçam o volume. Elas escondem perfeitamente uma canela grossa.

Minissaias, shorts e bermudas são peças complicadas. Experimente mil vezes até achar o comprimento certo.

Aposte em

- Acessórios, decotes, brilhos e outros detalhes que enfeitem a parte de cima.
- Saias "executivas", acima do joelho, deixando à mostra a parte mais fina da perna.
- Saias evasê ou levemente rodadas.
- Calças levemente ajustadas até os joelhos e que abram suavemente na boca, de modo que equilibre com a parte mais larga da coxa.
- Meias escuras, no mesmo tom do sapato.
- Meias do tipo arrastão.
- Meias que enrolem no tornozelo para disfarçar a canela.
- Saltos altos, mas firmes.
- Botas franzidas, cobrindo a região da canela.

Evite

- Calças retas.
- A dupla legging + blusa curta.
- Meias estampadas ou fantasia (rendadas, bordadas, etc.).
- Sapatos muito delicados e saltos do tipo agulha.
- Pernas brancas à mostra no verão.
- Sandálias com tiras enroladas na canela.

Busto PEQUENO

Não acho que seja um problema. Mas o número de plásticas para aumentar os seios no Brasil diz o contrário. Se eu fosse você, aprenderia o truque do guarda-roupa, pois, com o passar dos anos, vai me agradecer por ter seios de jovem.

OBJETIVO: não é criar volume enganador onde você não tem, mas valorizar suas formas.
CONTRASTE CLARO/ESCURO: cores mais chamativas na parte de cima do que na de baixo.
FORMAS/LINHAS: bem definidas e/ou ajustadas na cintura ajudam a criar uma ilusão de busto maior. Explore o estilo império, a linha A, o tubo e tomara que caia, de preferência com detalhes no peito: franzidos, babados, pregueados, etc.
TECIDOS: malhas mohair, cheniles, bordados, tramados, brilhantes, etc.
PADRONAGEM: listras, xadrezes, estampas na parte de cima.

Aposte em

PEÇAS DE CIMA

- Decotes em V ou redondo baixo favorecem.
- Lapelas e golas largas.
- Golas altas.
- Detalhes no peito: franzidos, babados, pregueados perto da linha do busto.
- Sutiã com pouco bojo.
- Cintos.

MALHAS

- Ajustadas à sua silhueta, mas não agarradas.
- Usadas com camisa por baixo.
- Tricôs de pontos grossos e pesados.

PALETÓS, JAQUETAS, CASACOS

- Cortados na cintura, ajustados por pence ou cinto.
- Com bolsos no peito, costuras, pespontos.
- Com detalhes bem femininos, como mangas bufantes, ou com outros elementos no punho (bracelete, sino).
- Comprimento que pare logo abaixo da cintura.
- Casacos com lapelas, costuras ou pregas — tanto nos ombros quanto na parte da frente.

VESTIDOS

- Estilo camisa, império e decote tomara que caia definem mais o busto — desde que não sejam colantes e, de preferência, com detalhes, como franzidos, babados, pregueados, etc.

Cuidado com decote muito profundo. Ao se abaixar, você pode mostrar justamente o que falta para preencher o seu sutiã de bojo!

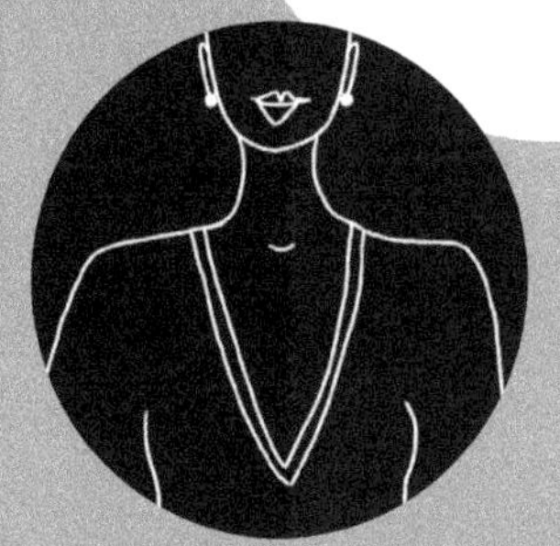

Evite

- Blusas e vestidos do tipo envelope.
- Paletozinhos, jaquetas e casaquetos de tecidos muito engomados, que podem provocar o efeito de tronco quadrado e fazer o peito desaparecer.
- Tops colantes que achatem o peito.
- Bolsos embutidos na parte de cima de camisas, blusas, vestidos.
- Roupas com bojo/barbatanas para preencher um volume que você não tem.

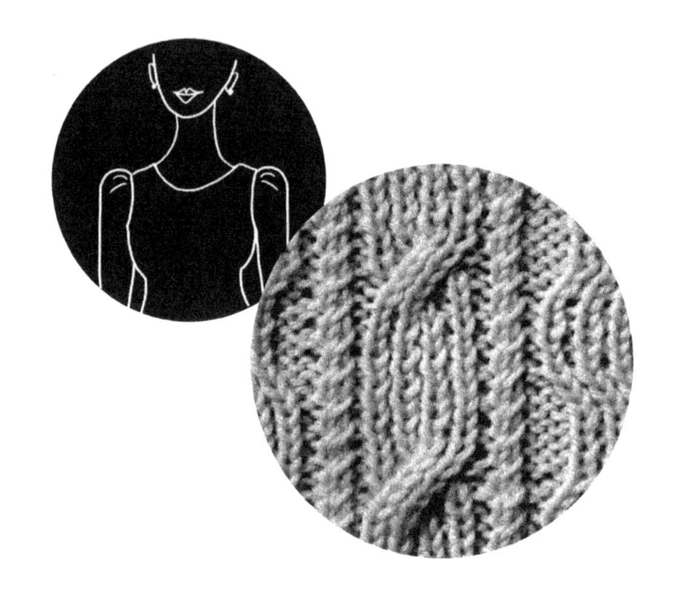

Ombros caídos

Enquanto você não resolve seus problemas de postura com exercícios adequados, conte com a ajuda do seu guarda-roupa.

OBJETIVO: provocar a ilusão de ombros na posição correta.
CONTRASTE CLARO/ESCURO: escuro na parte de cima.
FORMAS/LINHAS: roupas com franzidos nos decotes e outros detalhes bufantes e volumosos nas mangas.
TECIDOS: que franzam ou façam volume, como malhas grossas.

Invista em paletós e tops que admitam uma pequena ombreira!

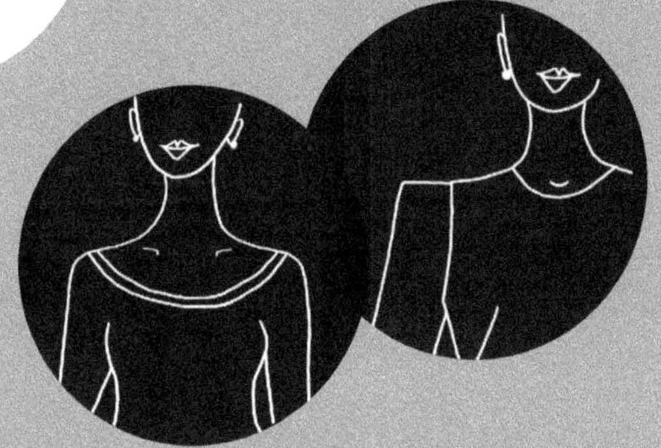

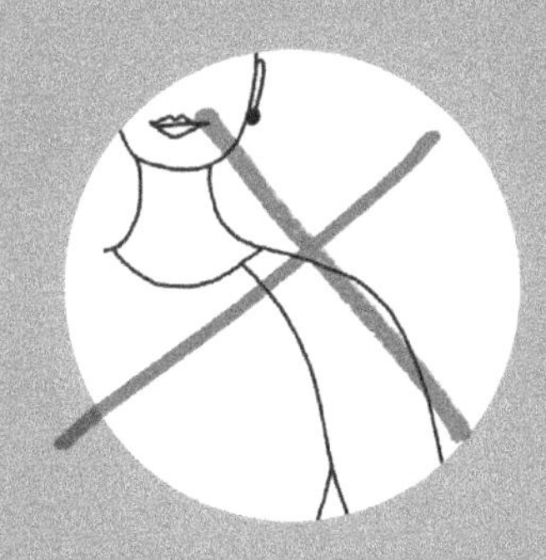

Aposte em

- Cavas costuradas bem em cima dos ombros.
- Decotes canoa.
- Ombreiras, mas sem exageros.
- Mangas longas, bufantes e franzidas.

Evite

- Mangas raglã (saem direto da gola, sem corte no ombro), principalmente em moletons e malhas;
- Blusas de malhas muito justas, de gola rulê.
- Blusas de seda ou malhas frias com decote redondo.
- Blusas de tecidos finos, que evidenciem a linha dos ombros.
- Regatas.

dica definitiva

Paletós de ombros muito estreitos vão apenas denunciar o quanto os seus são largos. Tente usar blusas de cores luminosas com a gola por dentro do paletó para chamar o olhar para o centro do corpo (colo).

OMBROS LARGOS

Se não forem exagerados, ombros largos são muito bonitos, modernos e atléticos. Incomodam mais quem os tem do que quem os vê.

OBJETIVO: suavizar a largura dos ombros.
CONTRASTE CLARO/ESCURO: escureça as partes de cima.
FORMAS/LINHAS: peças de cima leves e femininas.
TECIDOS: nem rígidos nem malhas coladas.
PADRONAGENS: estampas simples para a parte de cima.

Para quem tem quadris estreitos (além dos ombros largos), padrões horizontais na parte de baixo ou algum detalhe na bainha de casacos, saias e vestidos ajudam a equilibrar a silhueta.

Aposte em

PEÇAS DE CIMA

- Decotes em V estreitos e profundos.
- Colarinhos e lapelas estreitos.
- Mangas raglã.
- Mangas sem costura nos ombros.

MALHAS

- Com decotes redondos baixos e decotes em V profundos usados sobre camisa abotoada na frente podem ter efeito emagrecedor.
- Leves, nada justas nos ombros.
- Cardigãs – são melhores do que paletós e jaquetas.

PALETÓS, JAQUETAS, CASACOS

- Modelos mais compridos, leves e desestruturados ajudam a tirar a ênfase dos ombros.
- Modelos de cavas profundas, raglã, do tipo quimono ou mangas caídas (molengas) para suavizar os ombros.

TERNOS

- Paletós femininos com ombros suaves e mangas secas.

Evite

- Decote de nadador e cavas americanas.
- Golas altas, fechadas ou volumosas.
- Modelos transpassados (cache-couer), golas abertas e qualquer detalhe nos ombros, como pregas, enchimentos, dragonas, costuras.
- Mangas bufantes, franzidas no punho.
- Malhas volumosas, com decotes em V aberto.
- Malhas sem cintura ou curtas: criam o "efeito caixa".
- Paletós e casacos de lapelas largas, abotoamento duplo ou com detalhes na parte de cima, como bolsos, pespontos, dragonas, etc.

b com barriga

Regra número um: faça tudo para perdê-la. Regra número dois: faça tudo para perdê-la. Nem pense em se conformar com ela. Por enquanto, capriche no esconde-esconde das roupas.

OBJETIVO: atrair o olhar dos outros para as suas pernas ou para o rosto, criando uma longa linha vertical.
CONTRASTE CLARO/ESCURO: monocromáticos escuros.
TECIDO: secos, fluidos, e os que caem junto ao corpo sem colar.
FORMAS/LINHAS: linha A roçando o corpo, estilo império, formas simples; nada que marque a cintura.
PADRONAGENS: dê preferência aos tecidos lisos, às estampas miúdas sobre fundo escuro e aos detalhes estreitos na vertical.

Aposte em

PEÇAS DE CIMA

- Lenços, colares e detalhes que chamem a atenção para a região do colo e do pescoço.
- Decote em V para alongar o colo.
- Efeito blusê ou leves drapeados na região da cintura, que disfarcem a barriga saliente.
- Túnicas leves, abaixo do quadril.
- Cardigãs compridos.

PALETÓS, JAQUETAS, CASACOS

- Abotoamento simples.
- Modelos bem cortados junto ao corpo, mas não ajustados na cintura.
- Comprimento do paletó: antes do quadril, ou depois dele (cobrindo-o totalmente).
- Casacos de corte reto, tipo alfaiataria ou linha A.
- Cavas altas e ombros no lugar para criar uma silhueta mais *slim* (emagrecedora).

VESTIDOS

- Decotes abertos.
- Linha A junto ao corpo, estilo império, retos e soltos.

TERNOS

- Detalhes nos decotes são bem-vindos.
- Mangas secas, não franzidas.
- Blazers e paletós estruturados com abotoamento simples ou duplo.

CALÇAS

- Com cintura no lugar; sem cós ou cós bem estreito.
- Com pala na frente – em geral, com abotoamento lateral ou zíper atrás.

JEANS

- Calças nem tão altas nem tão baixas – o suficiente para cobrir sua inimiga.
- Um pouco abaixo da linha natural da cintura ou com stretch, que sustentem a barriga, sem agarrar.

SAIAS

- Evasês, com pala e com barra parando no joelho.
- Sem cós e largas na cintura.
- Simples, com frente lisa ou zíper do lado; de cores escuras e texturas opacas; usadas com sapatos coloridos, brilhantes, para chamar o olhar para baixo.

Evite

Pantalonas? Só se você for alta; do contrário, evite volumes.

- Tops e coletes curtinhos.
- Blusas por dentro da calça e da saia.
- Jaquetas curtas, com bolsos aplicados, golas ou lapelas exageradas.
- Amarrações do tipo pareô.
- Cintos em tons contrastantes.
- Paletós e jaquetas que enfatizem a cintura; botões ou fechos exagerados.
- Saias de pregas, franzidas, com bolsos frontais, de cós largo.
- Vestidos justos, principalmente os de malha e com stretch.
- Calças de cintura alta, com bolsos laterais ou frontais.
- Jeans largos e de cós baixo; aliás, nada de cós lá embaixo, botões ou qualquer coisa que fique beliscando seu umbigo.

mito ou realidade

As mulheres "com barriga" detestam quando a moda reedita as saias rodadas. Não é para tanto. Se tiver uma pala enviesada bem larga (de um palmo, mais ou menos) da cintura para baixo, funciona como uma espécie de cinta larga, ajustadinha. Dessa cinta é que sai a roda: godê, pregas, franzido. E, por isso, não aumenta o lugar crítico – que é a barriga.

dica definitiva

Lingeries de contenção são um bom quebra-galho, principalmente para usar em dias especiais. Experimente mil vezes até encontrar conforto.

Tamanho G

Nunca conheci quem estivesse feliz acima do seu peso normal. Mas não é o caso de se sentir excluída do mundo, correndo o risco de estar sempre sem roupas para sair, infeliz, trancada em casa — e comendo mais!

Diferentemente do que se imaginava, a onda do *fitness*, a maior consciência sobre alimentação e o encantamento que as top models exercem não levaram as pessoas a emagrecer. Ao contrário, o mundo está com problemas de obesidade — fruto de maus hábitos alimentares e de estilo de vida sedentário. O assunto virou até questão de saúde pública, com primeiras-damas de Estado envolvidas em programas de combate aos pesos pesados.

Quase ninguém tem um corpo de manequim. Se você tiver alguma dúvida, vá a uma loja. Entre num provador comunitário e dê uma olhada. Vai ver que a maioria tem um pequeno problema que fica escondido e disfarçado por baixo das roupas.

Mas, enquanto a balança estiver desfavorável, a aparência não precisa andar na *contramão*. Assuma o fato — ainda que temporariamente. Roupas ajudam muito a disfarçar os quilinhos a mais.

A dieta das roupas

Seu corpo é pesado. Então, a ordem é provocar uma ilusão de leveza e de movimento, valorizando as regiões com menos volume. A nossa modelo Tamanho G, Mychelle, por exemplo, tem braços e coxas muito grossos. Em compensação, conserva cintura. Além disso, a região do colo é muito bonita – grande trunfo no vestir.

OBJETIVO: procure chamar o olhar dos outros para as regiões menos volumosas do seu corpo, criando uma linha vertical e deixando mais pele à mostra.
CONTRASTE CLARO/ESCURO: cores escuras na parte de cima e na de baixo emagrecem.
FORMAS/LINHAS: linha A e estilo império não muito soltas; cintura definida, mas com movimento e sobreposições.
TECIDOS: molengos, mas com boa queda, como o jérsei e as sedas – tecidos macios que disfarçam o volume fixo e dão movimento. Nada de tecidos armados, como o brim grosso, o tafetá e o shantung; nem de malhas volumosas e felpudas. Ficam de fora também os tecidos colantes.
PADRONAGENS: listras, recortes e debruns verticais; estampas sobre fundo escuro.

comportamento

Se você começou uma dieta, saiba que esse é um assunto proibido de ser dito à mesa. Além disso, se for convidada para um almoço ou jantar, não sugira que façam um menu especial para você. Conforme-se: encha o prato de salada (se houver) e disfarce; ou forre o estômago antes de sair de casa.

Aposte em

PEÇAS DE CIMA

- Decotes em V, que aumentam o pescoço e arejam o colo.
- Mangas longas e três quartos.
- Mangas raglã, dolman (que afunilam no punho) e do tipo quimono também disfarçam braços fortes.
- Blusas e batas com decote franzido por cordão ou elástico, deixando o colo à mostra.

MALHAS

- Leves, de estilo largo, com mangas com movimento.
- Cardigãs compridos com gola do tipo xale.
- Malhas com suaves drapeados podem dar bom resultado.

PALETÓS, JAQUETAS, CASACOS

- Modelos semijustos ou de corte reto e mangas secas, que parem antes do quadril ou depois dele (cobrindo totalmente).
- Casacos com abotoamento simples – sem botões gigantes nem fechos exagerados.
- Ombros no lugar favorecem uma silhueta esguia.

SAIAS

- Retas, sem serem justas demais.
- Evasês, com pala e com barra parando no joelho.
- Modelos sem cós ou ligeiramente largos na cintura.
- Frente lisa ou com zíper do lado.
- Longas, com fendas.

Prefira maiô inteiro, de preferência escuro e com forro modelador.

Um bom teste para o paletó é abotoá-lo e sentar-se para ver se não está "a ponto de explodir". Procure outro tamanho, mande reformar ou compre para usar aberto.

dica definitiva

Se você é tamanho G (no mercado, a partir do manequim 44), não deixe de comprar roupas do ***tamanho exato****, até mesmo para ocasiões especiais, como festas e casamentos. Nada de numerações menores "porque vou emagrecer..."*

Aposte em

VESTIDOS

- Com decote em V, cinturas definidas e saias que flutuem para longe do corpo.
- Formas blusê podem favorecer.

CALÇAS

- Sem cós ou de cós bem estreito (considere zíper do lado ou atrás).
- Secas, bem compridas, com pala de sustentação na frente – em geral, com abotoamento lateral ou zíper atrás.
- Pantalonas: só se você for alta.

TERNOS

- Paletó + regatinhas e blusas que não façam volume usadas por baixo.
- Foco nas suas pernas: paletó + saias secas ou calças estreitas.

JEANS

- Modelos um pouco abaixo da linha natural da cintura ou com stretch que sustente suavemente a barriga (se você a tiver).
- Stretch é seu amigo e proporciona conforto, mas prefira modelos que se ajustem, em vez dos agarrados.

MEIAS

- Escuras, opacas.

SAPATOS

- Saltos que sustentem bem o corpo; ajudam, e muito, a dar leveza ao look.

dica definitiva

As experts em Tamanho G garantem que nada como uma boa saia longa de malha preta, com detalhes de fendas e recortes que proporcionem movimento, tanto no inverno quanto no verão.

dica definitiva

Roupas estruturadas sempre ajudam a conter uma silhueta.

Acessórios muito pequenos se perdem na sua silhueta pesada. Procure peças bonitas e proporcionais, como acessórios de metal, correntes, anéis e cordões que chamem a atenção pela qualidade.

Evite

- Laços e echarpes volumosos no pescoço.
- Decotes fechados, sufocantes, sem deixar pele à mostra.
- Blusas com babados, pregas, mangas bufantes e golas grandes.
- Modelos sem manga ou tomara que caia e qualquer coisa muito justa na manga.
- Suéteres ou camisetas de malha muito justos.
- Detalhes que marquem a cintura, como nós e cintos em tons contrastantes.
- Malhas caneladas (do tipo punho);
- Paletós com golas ou lapelas exagerados, bolsos no peito ou na região da cintura, cintos.
- Jaquetas curtas.
- Saias franzidas, de pregas, com bolsos frontais e de cós largo.
- Vestidos justos ou o oposto: folgadões, balonês, franzidos, etc.
- Calças com pregas, baggy ou semibaggy.
- Legging + blusa curta, especialmente em cores claras.
- Jeans de cós baixo – é difícil resistir quando a moda pede, mas procure ao menos um modelo sem botões.
- Meias claras.
- Sapatos pontudos, de salto agulha, sandálias de tiras leves e sapatilhas de bico redondo.

A cor pastel é inimiga de quem está fora do peso (aliás, o pastel de verdade também). Quando não puder resistir, use-a somente nos detalhes ou em algum acessório. Outro tiro no pé: calça larga + sapato baixo ("efeito pijamão").

dica definitiva

***Look emagrecedor:* calças secas e escuras de corte reto ou afunilando embaixo + túnicas retas abaixo do quadril e abertas dos lados.**

dica definitiva

Para as peças de cima, faça com que a bainha pare longe do ponto que você pretende disfarçar. Ou seja: logo acima ou bem abaixo do seu ponto fraco (barriga, culotes).

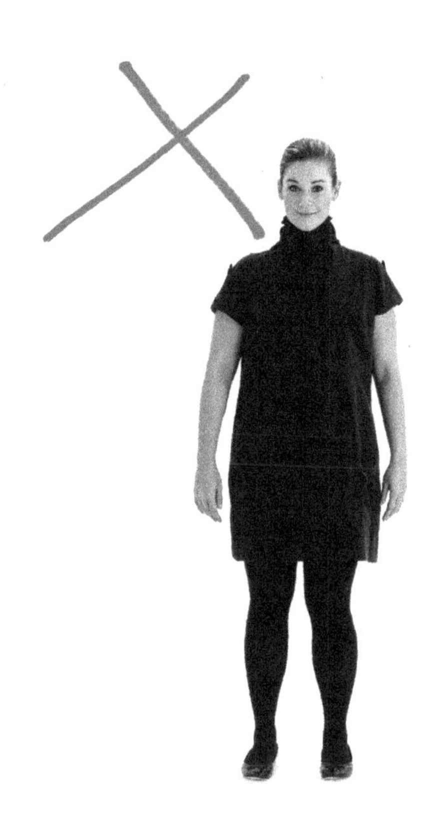

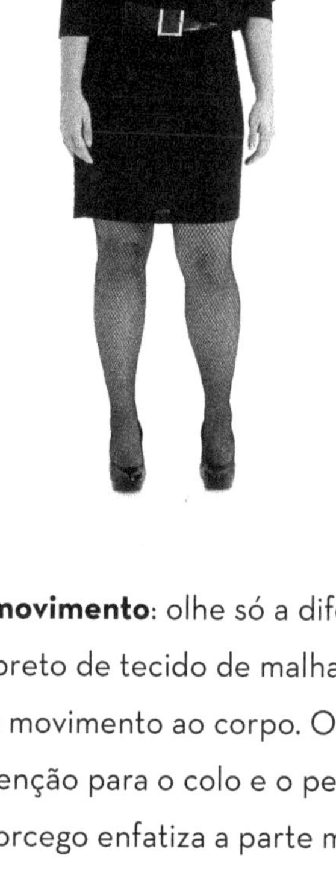

Achar que **preto total emagrece** é um engano. O look de uma única cor – seja qual for – cobrindo o corpo dos pés à cabeça destaca ainda mais o seu volume. Repare quanto espaço o corpo de Mychelle está ocupando na foto. A imagem é de um "bloco" sem contornos e com o volume aumentado pela gola franzida do vestido.

Preto em movimento: olhe só a diferença! O vestido preto de tecido de malha molenga dá leveza e movimento ao corpo. O decote chama a atenção para o colo e o pescoço, e a manga morcego enfatiza a parte mais fina do braço. Como Mychelle tem boa cintura, o cinto veio para dar forma ao corpo, e as meias arrastão revelam a parte mais bonita das pernas. Importante: usar o comprimento para mostrar seus pontos fortes.

O mau conjunto: campeão de audiência, a blusa em tecido de malha fluida em pontas + calça afunilada está longe de ser o look curinga para as tamanho G! Veja como as cores claras e o comprimento inadequado enfatizaram as regiões mais volumosas – tanto na parte de cima (os braços fortes) quanto na de baixo, em que as pontas, em vez de dar o movimento prometido, chamam a atenção para as pernas, fazendo com que Mychelle pareça muito mais pesada do que é!

O verdadeiro curinga: o trench coat por cima de uma regata e de uma calça escura, um pouco afunilada embaixo, produz um efeito emagrecedor, criando uma linha vertical de cima a baixo. Por quê? Ele faz o jogo do mostra-esconde, tão necessário para a tamanho G driblar o sobrepeso: valoriza a cintura e esconde a parte mais cheia das pernas. Além disso, o salto firme, sem tirar o equilíbrio do corpo, dá o toque esguio que faltava.

De olho no comprimento: tanto o decote como as mangas e o tecido da blusa estão perfeitos; o problema é o comprimento que para na região mais larga do corpo, os culotes. Fosse mais comprido, estaria muito bem. Já um legging claro é um pavor: revela gordurinhas até nas magras!

Olhe o "efeito estica": a túnica de malha na proporção certa, encobrindo as regiões mais volumosas do quadril e das coxas. O legging bem comprido, escuro e afinando embaixo deixa Mychelle mais alta e esguia.

O ver para crer da estampa e do comprimento. Cansei de repetir, durante todo o capítulo "Os biótipos", que estampas sobre fundo escuro têm efeito emagrecedor. E que a bainha de vestidos e saias precisa parar no lugar certo! Quer ver a prova?

O mesmo modelo, do mesmo tecido e da mesma marca, será usado por Mychelle em duas versões: o de *estampas sob fundo claro (curto)* e *de estampas sob fundo escuro (mais comprido).*

Na foto acima, à esquerda, a versão de estampas sob fundo claro, deixando as coxas à mostra. Resultado: pesou muito na balança. Na outra foto, o de estampas sob fundo escuro, no comprimento que deixa à mostra apenas a região mais estreita da coxa. Resultado: muitos quilos a menos na balança.

5
Beleza

Como as mulheres são lindas!
Inútil pensar que é do vestido...

Manuel Bandeira, *Mulheres*.

Ao meu lado no cabeleireiro, uma menina de 13 anos tira a sobrancelha. Os gritos que ela havia dado para depilar as axilas foram substituídos por lágrimas silenciosas e conformadas. "Coitada", pensei com meus botões, "essa começou cedo". Faço as contas: se ela viver 80 anos, vai passar 67 deles na tortura voluntária dos ritos de beleza modernos: arrancar pelos da cara, das pernas, da virilha, mas fazer o que for preciso para que os da cabeça cresçam; pintar os pelos do rosto, das pernas e dos braços de louro e, em compensação, escurecer os da cabeça; pintar as unhas dos pés e das mãos, paralisar os músculos da testa, exercitar os da perna...

Uma mulher moderna jamais se conforma com o cabelo do jeito que veio e vai sempre fazer o contrário do que ele é: alisar se for crespo ou encrespar se for liso. Sem falar no momento fatídico em que vai passar a ter que tingi-lo a cada quinze dias porque os fios ficaram completamente brancos.

Uma mulher moderna também vai gastar o que tem e o que não tem para comprar cremes que prometem tirar manchas e rugas, ou que hidratam, renovam e rejuvenescem a pele do rosto, do pescoço, das mãos e dos pés, e, no fundo, todas sabem que é impossível resolver esses assuntos fatais com cremes. Isso vale para procedimentos leves. Nem vamos entrar no tempo e na grana que ela vai gastar em preenchimento de rugas, liftings, lipoaspirações, lasers, clareamento de dentes e outras maravilhas que, se Deus ajudar, ainda hão de ser inventadas.

Loucura?

Sei não.

Mulheres da geração de nossas avós não fizeram nada disso e, aos 40 anos, pareciam ter 60! Hoje, uma de 60 parece, quando muito, ter 40. Vale ou não o sangue, o suor e as lágrimas? Vocês é que decidem. Obrigar, ninguém obriga!

Aprendizagem da pele

Uma pele viçosa chama tanto a atenção quanto olhos ou cabelos bonitos e brilhantes, com aspecto de saúde e bons tratos. E, se você der um pouco de cuidado a ela, a resposta vem rápida e agradecida. Uma boa limpeza, uma hidratação sistemática, proteção atenta contra os raios do sol e, com o passar dos anos, um reforço com substâncias nutritivas vão garantir uma aparência saudável e elástica para esse órgão tão delicado e importante do nosso corpo.

Esquisito pensar na pele como um órgão, mas é exatamente o que ela é — o maior órgão do corpo humano. Respeito com ela! E mais uma coisa: cuidar da pele não é só cuidar do rosto. Você tem colo, cotovelos, mãos, joelhos e pernas, e todos pedem proteção e têm de ser bem atendidos.

Tenho pena quando penso que muitas pessoas descobrem tarde demais o que deveriam ter feito por sua aparência. Cuidados com a pele independem da idade. Não deixe para começar a prestar atenção só quando ela estiver dando sinais muito evidentes de socorro.

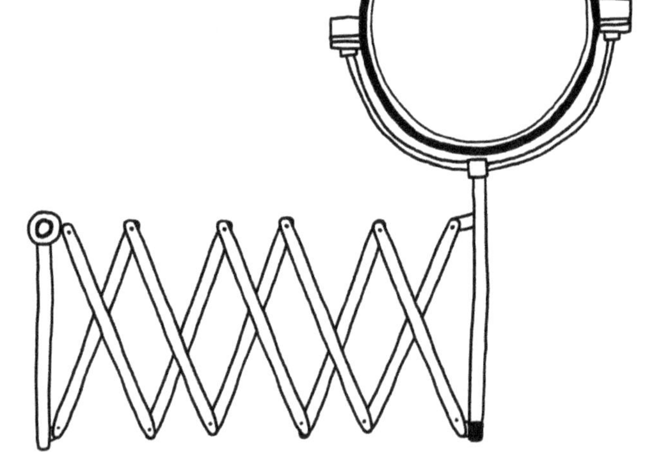

O sol não perdoa

Outro dia entrou no restaurante em que eu almoçava uma moça bronzeadíssima. Em vez de inveja, causou-me preocupação e pena. Será que ela tinha ficado perdida no mar e acabou com uma insolação?

Não passa mais pela cabeça de ninguém achar que estar negra de sol é bonito. Uma pessoa muito bronzeada passa a ideia de alguém desmiolado, desinformado e sério candidato a uma doença grave de pele.

Assim como gordura era sinal de formosura e, hoje, a obesidade é sabidamente uma doença, a estética mudou em função do conhecimento que se tem dos malefícios do sol. O que era bonito passou a ser antiestético e perigoso.

Se você ainda torce o nariz achando que isso é exagero dos médicos, não se iluda. Faça tempo bom, nublado ou chuvoso, é o sol que produz os conhecidos efeitos de fotoenvelhecimento: manchas escuras, sardas, rugas precoces. Os raios solares atuam do mesmo modo que outras formas de radiação, como a nuclear. Por isso mesmo, seu efeito é por acumulação: quanto mais você se expõe, mais sofrerá. Os anos em que você ficou esticada ao sol, na adolescência, serão cobrados mais tarde.

mito **ou** realidade

É verdade que quanto mais escura a pele maior quantidade de melanina – a proteção natural aos danos solares – ela possui. Mas é mentira dizer que, por conta disso, a pele negra esteja dispensada do uso diário de filtro solar!

Saiba mais sobre como se proteger para ter um colorido saudável, na dose certa.

Aposte em

- Filtro solar *todos os dias*, independentemente de ir à praia ou de se expor diretamente ao sol. Até em dias de chuva ou dentro dos escritórios você está sofrendo, embora com menos intensidade, os efeitos nocivos da luminosidade.
- Filtro apropriado para o *seu tipo de pele*. O fator de proteção mínimo considerado seguro para a maioria das brasileiras é o FPS 15, pois filtra 93,3% dos raios UVB. Peles muito claras pedem FPS 30 (que filtra 96,7% dos raios UVB). No rosto, o fator de proteção pode variar de FPS 15 para as morenas até FPS 100 para as peles mais claras ou com manchas.
- Produtos específicos para crianças e adolescentes. Os oil-free (livres de óleo), por exemplo, previnem cravos e espinhas na pele durante a puberdade.

Evite

- O sol entre 10 h e 16 h.
- Bronzeamento artificial; uma hora de exposição corresponde a praticamente um dia inteiro na praia!

A pele das brasileiras, em geral, é oleosa. Combina com filtros não comedogênicos e livres de óleo, que previnem contra cravos e espinhas.

dica definitiva

Para ler o rótulo do filtro:

- FPS: *fator de proteção solar; menor para as peles mais escuras, maior para as mais claras.*
- ANTI UVA, UVB: *protege contra raios ultravioleta A, ultravioleta B.*
- HIPOALERGÊNICO: *utiliza substâncias que, em geral, não provocam alergias, mas não garante proteção 100%.*
- OIL-FREE (LIVRE DE ÓLEO): *não contém substâncias oleosas; possui ativos que produzem um "toque seco" na pele.*
- NÃO COMEDOGÊNICO: *evitam a formação de "comedões", os conhecidos cravos.*

Com a pele limpa

Quanto mais cedo os rituais de limpeza e hidratação da pele entrarem na rotina de uma pessoa, melhor. Até porque o ambiente não hesita em nos atacar com resíduos que maltratam, sujam e roubam o brilho e a vitalidade da pele, especialmente de quem vive nas grandes cidades.

Nas bancas, as revistas femininas e os anúncios de cosméticos alertam continuamente para esses cuidados básicos, que ajudam a remover os resíduos poluentes e a enfrentar os efeitos do tempo.

Não pense que é só mais uma sedução da mídia. Com paciência, comece a identificar do que você precisa, baseando-se em seu tipo de pele. Por onde começar? Escolhendo sempre *boas marcas* e prestando atenção nas informações dos rótulos, que revelam a adequação para o seu tipo de pele e idade. Na dúvida, um dermatologista pode indicar o caminho mais curto e mais eficiente para os futuros tratamentos.

Algumas equações são simples: se a pele é oleosa, as formulações *oil-free*, como os géis, são mais confortáveis; se a pele é seca, ao contrário, pede produtos cremosos e escorregadios. Como saber disso? De novo, leia os rótulos, ouça médicos e esteticistas. Para tratar da sua pele, use a cabeça.

Monte o seu kit básico de *limpeza e hidratação* com marcas confiáveis e, se você já manifestou reações alérgicas antes, não desanime: há produtos feitos sob medida para peles de todos os tipos e histórias.

Como as ginásticas, as dietas e as boas palavras, repita o ritual de cuidados todos os dias.

Antes de dormir, esqueça a *preguiça* e apague qualquer resíduo de maquiagem ou sujeira da pele. Passe a *loção de limpeza*: pode ser na forma de leite, creme, loção, gel ou espuma, dependendo do tipo de pele.

Depois de remover toda a sujeira aparente, é a vez do *tônico adstringente*, e, finalmente, do *hidratante*.

No dia seguinte, recomece lavando o rosto com um produto neutro. Assim, a pele estará limpa e pronta para o protetor solar e os cosméticos que dão realce ou simplesmente protegem.

Se o seu corpo tem pele ressecada, dê banhos de hidratante nele toda vez que sair do chuveiro. E atenção: água muito quente é péssima para a pele seca. Banhos de chuveiro ou de imersão pelando podem, inclusive, deixar sua pele irritada ou coçando.

Ação regeneradora

Se o *tempo* começou a mostrar seus efeitos na pele, engrosse a lista de produtos básicos de limpeza e hidratação com cremes "rejuvenescedores". Quem são eles? Procure saber o que é melhor para o seu caso e invista na sensação de conforto do rosto e do corpo, ou de uma região específica, usando fórmulas antirrugas para rosto, contorno dos olhos, lábios, e assim por diante.

Em geral, as fórmulas dos cremes acompanham cada etapa da vida: *aos 30 anos*, promovem a "descamação" para renovação das células; aos *40 anos*, entram os nutritivos, que fortalecem a pele; e, dos *50 em diante*, os mais apropriados são os restauradores e os de hidratação profunda.

Mas não acredite nesses cosméticos como "fórmulas milagrosas". Não existe creme que rejuvenesça. Essa solução mágica ainda não foi inventada. Cremes ajudam a manter a pele elástica e agradável. Prefira a dupla que funciona: filtro solar de dia, ácidos à noite (com orientação do dermatologista). E invista o dinheiro que você gastaria com cosméticos caríssimos em tratamentos comprovados, como lasers fracionados, preenchedores.

Maquiagem

A maquiagem é uma grande aliada na composição do estilo. Não esqueça, entretanto, que você mora num país cheio de luz e que, por isso, não precisa carregar na maquiagem durante o dia. Quem vive do outro lado do hemisfério precisa compensar a falta de luminosidade.

No mundo moderno, a maquiagem deixou de ser um recurso de correção do rosto ou de simples embelezamento para tornar-se um requinte de acabamento. Ou seja, ela sinaliza um cuidado a mais com a própria aparência. Estar maquiada, assim como sair de roupa limpa e bem passada, demonstra que você não saiu de qualquer jeito; "cara lavada" entrou definitivamente para o território íntimo e do relax.

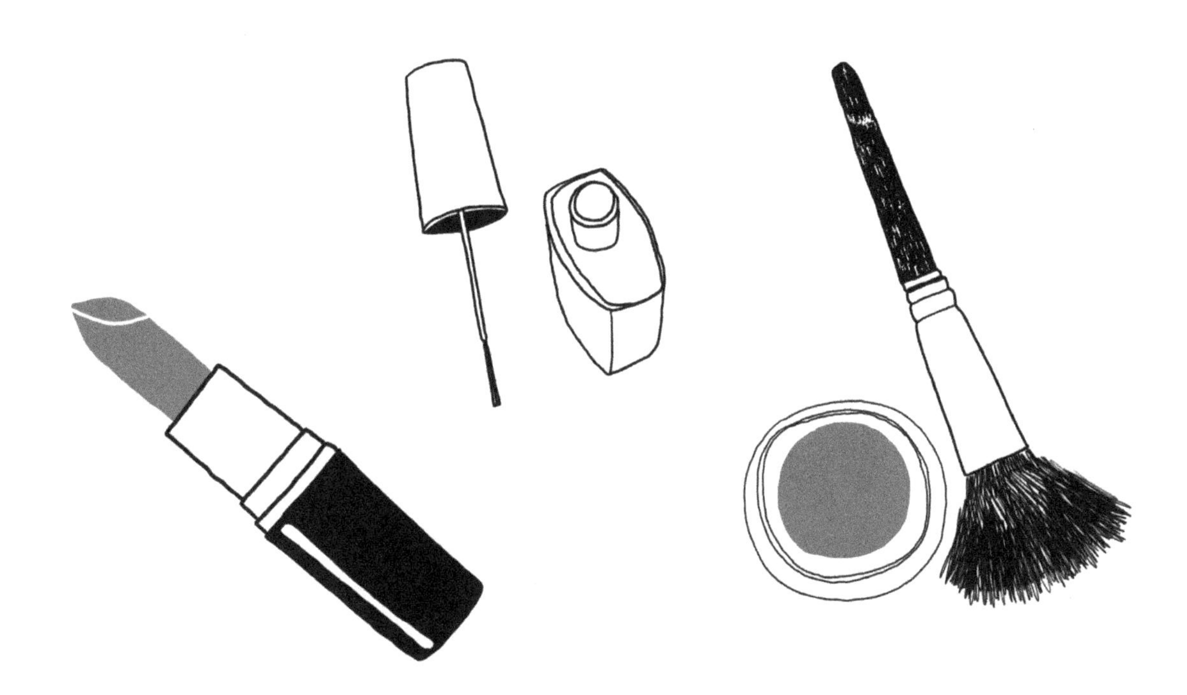

Automaquiagem

- **Caras pálidas:** um rosto sem cor é como uma máscara de gesso: os contornos ficam indecisos. Para colorir, comece preparando a pele com base e corretivo. Dê um realce na sobrancelha e passe um rímel nos cílios. Um blush bem aplicado, levantando o maxilar, encarrega-se de contornar o rosto. Finalmente, brilho ou batom para os lábios e um pó para fixar o novo rosto.
- **Kit básico:** base com protetor solar, corretivo, rímel, lápis para os olhos, blush, batom e pó fixador.
- **Base:** corrige imperfeições, dá uma aparência lisa e homogênea à pele e serve também como protetor solar. Porém, seu efeito será desastroso se estiver num tom muito diferente da sua cor de pele.
- **Corretivo:** disfarça pequenas manchas e uniformiza a pele, iluminando as áreas escuras – em geral, embaixo dos olhos, nas laterais do nariz e ao redor da boca. Coloque na quantidade certa e com muito cuidado para que a olheira preta não passe apenas a virar uma olheira cinza.
- **Rímel:** é natural que uma criatura com duas bolas de cristal líquido bem no meio do rosto só possa querer valorizá-las! Por isso, ainda que a moda dê suas viradas, é difícil imaginar outra maneira de abrir o olhar que dispense rímel nos cílios.
- **Lápis e delineador:** recursos que reforçam ou dão novo formato aos olhos. Mas, se usados na pálpebra inferior, os diminuem!
- **Sombras:** saindo dos tons de pele e marrom, entram no território da fantasia e da moda. Aí, o território é para as que dominam a arte do make-up.

dica definitiva

Pele muito seca é candidata a mostrar fissurinhas e escamações. Se a maquiagem for puro pó, o efeito será o mesmo de uma máscara de lama ao secar – vai evidenciar as rachaduras, especialmente ao redor dos olhos e da boca. Use hidratantes e cosméticos apropriados para esse tipo de pele.

- **Blush:** bem colocado e na cor certa, dá uma saúde imediata para o rosto.
- **Pó:** dá o acabamento final à maquiagem, controla o brilho e tem o poder de fixar o que foi feito. Mal passado, ou em um tom muito mais claro que o do resto do rosto, envelhece.
- **Batom, gloss ou brilho:** depende do que fica melhor para você. Por exemplo, se a boca é pequena, prefira os tons cor de boca ou gloss, que realçam ou brilham sem enfatizar o contorno. Ou ainda, se a região dos lábios já apresenta pequenos sinais do tempo, os batons metalizados vão revelar ainda mais.
- **Batons vermelhos e de cores fortes:** ao contrário do que se imagina, ficam bem em lábios cheios.

mito ou realidade

Nada aumenta uma boca de forma natural! Nada mais feio do que os bocões estufados pelas técnicas de preenchimento. Quem nasceu com bocão nasceu; quem não nasceu, conforme-se!

Sobrancelhas

É muito perigoso alterar demais o contorno das sobrancelhas, submetendo-se aos modismos. Pode dar ao rosto uma expressão "espantada" e artificial.

- Cuidado com a pinça. Com o tempo, de tanto tirar os pelos, eles não voltam mais. Aí, não adianta apelar para a solução definitiva: é uma tatuagem pesada, que enfeia e envelhece.
- Retocar as falhas da sobrancelha com lápis mostra o truque. O melhor é com sombra.
- Se você quiser realçar as sobrancelhas, pode pentear os fios com rímel. Se quiser apagar, experimente tingir meio tom abaixo da cor do seu cabelo.
- Fios brancos na sobrancelha? Tinta neles!

Juventude a qualquer custo

Hoje em dia, faz-se de tudo para parecer mais jovem. Até mesmo o que não se deve. Explico: há coisas que, em vez de rejuvenescer, envelhecem.

Outro dia, vi a foto da deusa loira do cinema francês, Catherine Deneuve, na entrada do Globo de Ouro, em Los Angeles – premiação considerada um pré-Oscar. Gente, a mulher estava irreconhecível! A deslumbrante atriz dos filmes *Bela da tarde*, *Guarda-chuvas de Cherbourg* e tantos outros parecia um balão: a boca inflada e virada para cima como o Curinga do Batman; as bochechas, redondas e inchadas, escondendo e apertando os olhos; a testa, lisa e brilhante, de tanto botox; sem falar nos "peitões", que engordavam e atarracavam sua silhueta, já não tão leve. Que desastre essa mulher fez consigo mesma! Tudo errado para quem, evidentemente, está atrás de uma imagem mais jovem e bonita.

A procura desesperada da juventude pode se tornar uma coisa patética e inútil quando feita sem bom-senso nem critério! Uma mulher bem tratada, que mantém sua silhueta leve e em forma, que faz seus tratamentos de pele e plásticas delicadas e harmoniosas certamente se sente melhor e mais segura tanto na vida pessoal como na profissional.

Envelhecer com dignidade não quer dizer virar uma vovozinha gorducha de cabelos brancos e cheia de rugas. Mas os exageros que temos visto por aí são uma tristeza, e, ainda por cima, fazem com que fiquem todas com a mesma cara. Cara de velha com plástica de quero-ser-jovem-a-qualquer-custo. Mulheres, cuidado. Mirem-se no espelho da Catherine e fujam dessa imagem o quanto puderem.

Cirurgia plástica

Olhando os álbuns de família, é possível ver muito bem por onde o tempo vai nos pegar. Se muitas pessoas na sua casa têm marcas de expressão em torno da boca, olhos caídos, rugas na testa, etc., é natural que você herde essas características. Há um limite para as correções, mas não concordo que seja uma heresia interferir nos efeitos do tempo sobre a aparência se há uma infinidade de técnicas bem resolvidas no campo da cirurgia plástica.

De todas as justificativas que ouvi até hoje sobre o tema, separei algumas que explicam o eterno adiamento: o medo da cirurgia em si, as dores, o risco de fracasso, o pudor do excesso de vaidade, o atestado de envelhecimento, a falta de dinheiro, sem falar na ferida narcísica que nos faz defrontar com a imperfeição. São fatores de pressão poderosos que devem ser levados em consideração.

O importante é lembrar que o rosto e o corpo são seus, e só você sabe o que vai deixá-la mais feliz.

Só há um jeito de enfrentar as dúvidas: descubra um bom profissional, com ótimas referências. Depois, saia em busca de uma pessoa que você considera bem-sucedida numa cirurgia como a que quer fazer. Pelo depoimento dessa pessoa, você pode se inteirar do "diário" completo da pós-cirurgia. Pese os prós e os contras depois de fazer as seguintes perguntas:

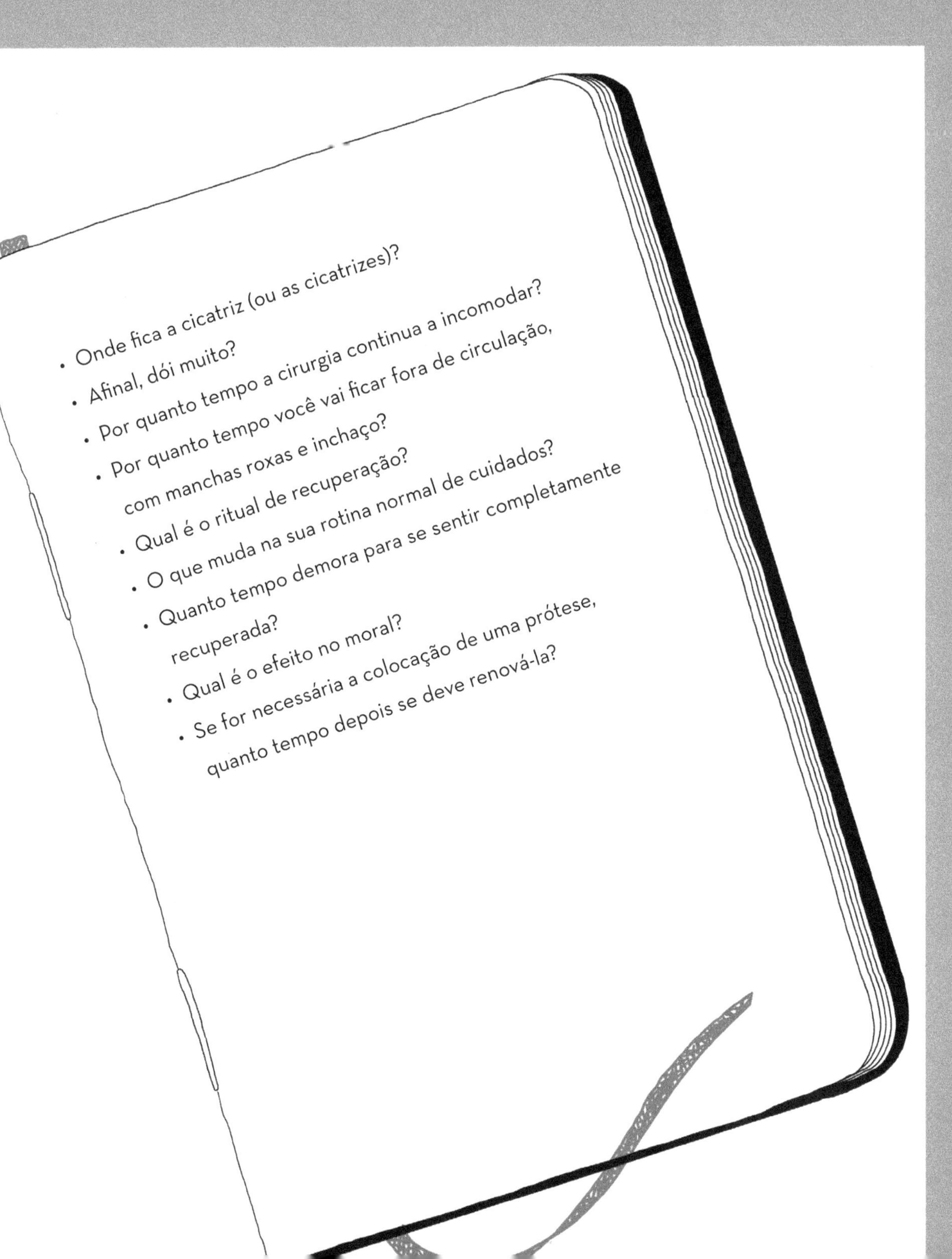
• Onde fica a cicatriz (ou as cicatrizes)?
• Afinal, dói muito?
• Por quanto tempo a cirurgia continua a incomodar?
• Por quanto tempo você vai ficar fora de circulação,
com manchas roxas e inchaço?
• Qual é o ritual de recuperação?
• O que muda na sua rotina normal de cuidados?
• Quanto tempo demora para se sentir completamente
recuperada?
• Qual é o efeito no moral?
• Se for necessária a colocação de uma prótese,
quanto tempo depois se deve renová-la?

Tirar os efeitos da lei da gravidade do rosto não quer dizer "puxar", mas "levantar" delicadamente e tirar o ar de cansaço.

Há alguns anos, veio se firmando a tendência em todo o mundo de buscar resultados mais naturais. O tempo de overtraction parece estar, definitivamente, fora de moda.

A nova ordem vai pedir a repetição de procedimentos, desde que mais suaves, com recuperação mais rápida, menores restrições às atividades rotineiras e volta rápida ao trabalho e à vida normal.

Assim, não é preciso partir direto para um lifting total e definitivo – a cirurgia para o rosto todo e o pescoço. É mais aconselhável fazer, o quanto antes, por partes, seguindo o que os especialistas chamam de contorno facial.

pode? não pode?

Quantas cirurgias plásticas um rosto aguenta?

Não há limite, desde que a área a ser operada esteja em boas condições. Hoje, já não é raro o quarto ou o quinto *lifting* em pacientes absolutamente produtivas na faixa dos 80 anos, e que o fazem com o objetivo de se sentir bem.

Na repetição do lifting, ou quando este é feito muito tarde, pode haver sobras demasiadas de pele em volta das orelhas, o que resulta numa cicatriz à frente do cabelo, justamente para preservá-lo e não correr o risco de ficar sem costeleta. Nesse caso, só há um jeito: esconder a cicatriz no penteado.

A primeira cirurgia costuma ser nas *pálpebras*, por volta dos 40 anos. Tira-se o excesso de pele e as bolsas de gordura.
ANESTESIA: local.
DURAÇÃO: em média, duas horas.

O *lifting de cicatrizes curtas* é o mais aconselhável para a faixa dos 40 aos 45 anos, para retirar as chamadas bolsas de gravidade, ao lado do queixo, e amenizar os sulcos da face. O excesso de pele é retirado, e o reposicionamento da musculatura é realizado, com frequência, utilizando-se a suspensão com fios cirúrgicos. O corte é feito no pé da costeleta e contorna a orelha, terminando no couro cabeludo. Normalmente, a cirurgia é complementada com uma lipo do queixo duplo e contorno da mandíbula – essencial no rosto feminino.
ANESTESIA: local com sedação ou geral.
DURAÇÃO: em média, duas horas.

O *lifting total* retira o excesso de pele da face e também reposiciona a musculatura que sofreu o efeito da gravidade. Os cortes são maiores, feitos no couro cabeludo, dentro e atrás da orelha. A lipoaspiração é parte integrante e todas as etapas da cirurgia são mais extensas.
ANESTESIA: de preferência, geral.
DURAÇÃO: em média, três horas.

pode? não pode?

Quanto tempo dura o efeito de um lifting total?
Depende da elasticidade da pele de cada pessoa. Por isso, o melhor é não esperar cair demais para optar pela plástica. Num rosto não muito flácido e caído, costuma resistir, em média, de quatro a seis anos.

O CORPO

Nem sempre o motivo de uma cirurgia estética é o efeito do tempo. Você está descontente com a sua silhueta? Então vai sentir um grande alívio quando esse desconforto desaparecer. Em geral, as queixas mais comuns são resolvidas pelos especialistas em contorno corporal.

SEIOS

As cirurgias nos *seios* são as mais procuradas na busca do corpo bem proporcionado. Para aumento, basta uma pequena incisão para colocação de próteses de silicone.
ANESTESIA: local.
DURAÇÃO: uma hora.

Levantar seios caídos requer um corte maior: em volta da aréola e na base da mama.
ANESTESIA: pode ser local ou geral.
DURAÇÃO: em média, duas horas.

A redução dos seios exige procedimento de maior porte; as incisões em volta da aréola e na base da mama são maiores, tornando a recuperação mais demorada, e o desconforto pode ser grande: dificuldade para lavar e pentear o cabelo, dormir (só é possível dormir de barriga para cima), dirigir, fazer ginástica.
ANESTESIA: geral.
DURAÇÃO: em média, três horas.

Manifesto antipeitão

Não consigo entender essa mania de querer aumentar o peito. Já conversei com os melhores cirurgiões plásticos do país sobre o assunto. Eles contam que muitas vezes se recusam a atender mulheres que pedem um peito desproporcionalmente grande.

O que elas fazem? Procuram outro!

Não entendo por que mulheres que passam a vida fazendo regime e tentando permanecer mais jovens colocam um peito que as faz parecer mais velhas e gordas.

Seios pequenos lembram corpos adolescentes, jovens, enquanto o peitão remete à imagem da matrona: uma silhueta mais velha e pesada. Sem contar o incômodo para dormir e o sulco que a alça do sutiã deixa nos ombros por conta do peso.

BARRIGA

Tirar um *abdômen volumoso* requer procedimentos diferenciados. Se a origem do volume deve-se a um problema muscular, e não a excesso de gordura localizada, recomenda-se a cirurgia convencional – por exemplo, no caso de mulheres depois da gravidez. O corte é feito em todo o abdômen inferior para tirar o excesso de pele e costurar a musculatura. Exige internação hospitalar de *um dia*.

ANESTESIA: peridural ou geral.

DURAÇÃO: duas horas e meia.

LIPOASPIRAÇÃO

A lipoaspiração é a técnica ideal para o excesso de gordura bem localizado. Faz-se uma incisão de poucos milímetros e introduz-se um instrumento (cânula) ligado a uma seringa que aspira a gordura. A técnica é indicada para eliminar:

A *barriguinha* que é só gordura localizada, e não problema muscular.
ANESTESIA: local ou peridural.
DURAÇÃO: uma hora.

Culotes, se a pele ainda for firme e elástica.
ANESTESIA: local ou peridural, dependendo do volume.
DURAÇÃO: uma hora e meia.

Gordura localizada na região lombar – aquela que vai deixando as mulheres com mais de 50 anos com a cintura alta atrás. A recuperação exige cuidados redobrados para evitar formação do efeito "rolinhos de tábua de lavar roupa". O tratamento poderá ser paliativo e exigir novas lipos de tempos em tempos, pois não é só a pele que é acometida de flacidez: gordura e músculos também são.
ANESTESIA: dependendo da área, pode ser local; a anestesia geral é mais segura para a posição de bruços.
DURAÇÃO: uma hora.

"Bacon" – aquela meia-lua esponjosa de gordura que fica embaixo do braço e sobra em cima do sutiã, seguindo também nas costas. Aparece depois dos 50 anos em pessoas que têm braços e costas gordos.

ANESTESIA: dependendo da área, pode ser local.

DURAÇÃO: uma hora.

A internação é sempre necessária no caso de cirurgias que exigem anestesia geral ou peridural. As cirurgias com anestesia local são realizadas na própria clínica do profissional, onde o paciente permanece em observação durante algumas horas antes de retornar para casa.

dica definitiva

O sucesso da cirurgia plástica – ou mesmo de uma lipo – não está só nas mãos do cirurgião; a resposta da pele é fundamental. Quanto mais jovem, rica em fibras colágenas e elásticas for a pele (e não necessariamente a idade cronológica da paciente), melhor. Peles mal cuidadas, flácidas e desidratadas respondem menos a cirurgia. Mais uma razão para tomar cuidado com a pele desde cedo.

mito **ou** realidade

- Por mais que seja difundida hoje, a cirurgia plástica não é um passeio no parque. Você fica tensa, com medo do resultado, e, quando o médico diz que é "desconfortável", leia-se "dolorido". Por exemplo, ninguém diz que, após uma lipoaspiração você terá muita dor, como se tivesse passado um caminhão por cima. Além disso, dificilmente a lipo prescindirá de massagens e drenagens linfáticas no período de recuperação. A frequência dependerá do método de seu médico. Por isso, antes de fazer uma, informe-se sobre os custos dessa rotina – ela pode custar tão caro quanto a operação!

- É comum ouvir que a lipoaspiração dura pouco e que basta engordar um pouquinho para o problema voltar. Na realidade, o efeito da lipoaspiração vai embora quando a pessoa ganha quatro ou cinco quilos a mais. Por exemplo: se ela tinha culotes, bastava um quilinho a mais para a calça não entrar. Depois da lipoaspiração, esse alerta não é mais imediato. Essa mulher, embora dois quilos mais gorda, não apresentará a concentração de gordura no mesmo local. E vai demorar a perceber que está tão acima do seu peso normal, porque a gordura está indo para outras regiões do corpo. Conclusão: **vigilância total no peso**. Sem relaxar...

OS LIMITES

Regiões como braços, mãos e entre as coxas ainda representam pontos quase proibidos para a cirurgia plástica. Por uma razão simples: sempre que a sobra de pele for o problema, a solução será cortá-la. Consequência: difícil disfarçar a cicatriz.

Mas, com o aumento do número de pessoas que sofrem grande perda de peso (após cirurgias bariátricas para reduzir o estômago), a procura pela plástica nesses pontos "proibidos" passou a ser mais frequente. A pessoa prefere exibir o seu contorno corporal normalizado quando vestida a usar decotes, roupas sem manga, biquínis ou outras peças que possam revelar a cicatriz em público.

- As *mãos* permitem um lifting, só que a cicatriz será circular, em volta do punho, condenando você a um bracelete permanente. Em compensação, mãos muito magras e ossudas podem receber um enxerto de gordura sem problemas, o que melhora a aparência.

- O "*efeito tchau*" debaixo do braço é outra barreira. Faça ginástica, porque a cirurgia deixa uma cicatriz na parte interna do braço: do cotovelo até as axilas. A lipoaspiração consegue retirar a gordura dos braços, mas pode ficar o problema da sobra de pele. O mesmo vale para a região entre as coxas.

A memória da pele

Um dos perfumes mais famosos do mundo, o Chanel nº 5, nasceu em 1921. E, até hoje, muitas mulheres marcam seu estilo com ele: gotas de personalidade na pele. Porque os perfumes gostam de entrar fundo em nossa memória, contam sobre quem somos, o que nos aconteceu... São eles que sobrevivem a nós. Numa só palavra: na direção do estilo, encontre o seu perfume.

Você não precisa ter fidelidade absoluta a uma única marca. A vocação dos perfumes é como um sobrenome: em geral, ficamos com a mesma família, sejam florais ou cítricos, por exemplo. Às vezes, usar o mesmo perfume por toda a vida faz com que a gente esqueça o seu poder e não sinta mais o seu efeito espalhando-se no ar... E podemos cometer o crime de abusar, deixando as pessoas à volta sufocadas.

Na hora de comprar o seu perfume, experimente antes. Passe o dia com ele. E verifique suas especificações, para saber o quanto ele é forte.

mito **ou** realidade

- Uma fórmula de perfume exclusiva, registrada e desenvolvida especialmente para sua pele e sua personalidade, é um luxo para poucos. Custa uma pequena fortuna, dado o número restrito de perfumistas no mundo. Mas existe.

- É verdade que a fixação na pele varia de pessoa para pessoa.

Embora não exista um padrão mundial que estabeleça um valor exato para a concentração das essências em cada tipo de perfume e o tempo de duração na pele, guie-se pelas médias abaixo, que costumam estar no rótulo:

PARFUM OU EXTRATO: alta concentração da essência, entre 15% e 30%. Proibido para os dias quentes...
DURAÇÃO: de 8 a 12 horas.

EAU DE PARFUM: um pouco mais suave que o parfum, a concentração da essência é entre 15% e 18%.
DURAÇÃO: de seis a dez horas.

EAU DE TOILETTE: um tom abaixo em matéria de concentração, entre 10% e 16%. Já dá para dar uma espirradinha a mais...
DURAÇÃO: de seis a dez horas.

EAU DE COLOGNE: a concentração é baixa, entre 2% e 8%; o cheiro não se altera com o calor e ganha o resto do corpo.
DURAÇÃO: de duas a quatro horas.

Passar perfume é como nossas mães ensinaram: gotinhas nos punhos, atrás das orelhas... Não esfregue, para não alterar a composição. Perfume forte é tão invasivo quanto falar muito alto. O perfume é campo do sagrado, não facilite.

[...] perfumar-se era de uma sabedoria instintiva, vinda de milênios [...] exigia que ela tivesse um mínimo conhecimento de si própria [...]

Clarice Lispector, *Uma aprendizagem ou O livro dos prazeres.*

dica definitiva

Perfumes não alcoólicos são uma boa alternativa para quem costuma se irritar com a presença do álcool na fórmula ou para peles mais sensíveis e ressecadas. A sensação seca e de frescor são substituídas pela textura oleosa e pegajosa na pele. Em compensação, essas fórmulas evaporam menos no calor, não brigam com o sol e permitem uma boa fixação mesmo em concentrações menores.

A duração é o tempo em que o perfume ainda está reconhecível. Mas é claro que ele pode deixar resíduos por muito mais tempo, só que esse cheiro não é o mesmo do original.

Cabelo, cabeleira,
cabeluda, descabelada [...]
Cabelo quando cresce é tempo
Cabelo embaraçado é vento
Cabelo vem lá de dentro
Cabelo é como pensamento...

Arnaldo Antunes e Jorge Ben Jor, *Cabelo*.

Cabelo

Cabelo parece que tem vida própria, tanto que costumamos dizer em desespero, diante do espelho: "ele não me obedece!" E não obedece mesmo. Dá a impressão que faz o que quer com a gente, e não o contrário. Só depois de muita luta se aprende a conviver com esse rebelde, conhecendo seus caprichos e problemas.

Aposto que você já deve ter experimentado todos os comprimentos – o curto, o médio e o longo – em diferentes fases da sua vida. De qual deles gostou mais? Feche os olhos e pense no seu rosto. Lembre-se da melhor fase de cabelo que você já teve. Qual o comprimento que lhe vem imediatamente à memória? Pronto, você já chegou a uma conclusão: esse, com certeza, é o melhor!

mito **ou** realidade

Uma das coisas mais comuns que tenho visto é o mito do "cortar para rejuvenescer". Normalmente, não dá certo. Além de não se reconhecer mais, o corte desastrado às vezes faz com que uma pessoa fotogênica passe a sair péssima nas fotografias.

A mesma ideia vive sendo propagada para as mulheres com mais de 40 anos. Nesse caso, o argumento é que, a partir dessa idade, cabelos longos não caem bem! Não concordo. Se esse sempre foi o corte que mais combinou com você, não há motivo nenhum para buscar um novo look.

comportamento

"Se você está triste, deprimida, brigou com o namorado, corra até o cabeleireiro e corte as madeixas: sua vida vai mudar!" Não entre nessa. Pode ser mais uma mudança infeliz na sua vida.

Questão de identidade

O cabelo é um dos traços de identidade mais marcantes. Define uma posição perante o mundo. Os hippies, na década de 1960, deixaram os cabelos compridos, preferindo-os sujos e maltratados. Era uma atitude antiestablishment que se repetiu com os punks e seus cabelos espetados, com os dreadlocks e com outras manifestações mais recentes de afirmação étnica.

Hoje, os naturistas marcam posição mantendo os cabelos grisalhos como a natureza os quer, enquanto as "patricinhas" seguem jogando seus longos e bem tratados cabelos – lisos, de preferência – de um lado para o outro, sem trégua, afirmando padrões estéticos da moda.

Independentemente da idade e dos valores, cada vez mais as mulheres experimentam novas cores, texturas e nuances, até mesmo para realçar os diferentes cortes. Surgem a cada dia fórmulas tão impressionantes como aquelas que se restringiam ao território da pele – vitaminas, minerais, óleos vegetais e filtros solares, embutidos em máscaras, hidratantes, fluidos, géis e pomadas.

A oferta desses produtos para todos os tipos e "temperamentos" tornou-se irresistível.

Cuidado, porém, para não entrar para o rol das "vítimas da moda", como foram batizados homens e mulheres que colocam seu corpo, seu cabelo – enfim, sua cara – à disposição do mundo exterior, deixando para trás e obscurecidos a personalidade e o estilo pessoal.

Bad hair day

Além da beleza, a comodidade e o conforto são atributos que também valem para o cabelo. Há coisa pior do que perceber, de um minuto para outro, que o penteado saiu do lugar e você não sabe mais como está sua aparência? Fio por fio, o cabelo está tecendo a imagem que você quer ter. Quando você desconfia que esses fios estão "atrapalhados", é normal que se sinta insegura.

Por isso, não há mulher que não tenha passado pelo *bad hair day*, o dia em que o cabelo não faz o que você quer: se quer que ele fique solto, ele só vai sossegar preso, ou vice-versa. É também o dia em que ele deixa você com a pior cara.

- Se você tem cabelo comprido, que não quer se acomodar, dê um castigo a ele e prenda-o.
- Se você tem cabelo curto, esculpa-o com gel.
- Se ele estiver murcho, dê uma eriçada e ponha um spray.
- Se a raiz estiver descolorida, disfarce com bastão ou rímel apropriados para cabelos.
- Se estiver arrepiado (porque está ressecado, estão nascendo novos fios ou está úmido lá fora), dê um trato com produtos antifrizz.
- Se os fios subirem por conta da eletricidade estática num dia seco, use pente de madeira, esfregue bem os cabelos com as mãos ou aplique um produto reparador específico para esse fenômeno.
- Se amanheceu muito oleoso, experimente um bom xampu de lavagem a seco.
- Se você tiver tempo, meta-se embaixo do chuveiro e comece tudo de novo!
- Finalmente, se você quiser submeter-se resignadamente ao mau comportamento dos seus cabelos, dê um reforço com pomadas e saia por aí assumindo o novo estilo *bad hair day*! Nesse caso, capriche na maquiagem e nos acessórios.

mito **ou** realidade

Ao contrário do que muita gente pensa, quem tem cabelo fino e liso também sofre. Basta um ventinho para ele sair do lugar e sua dona querer se matar! Para ficar com boa aparência, esse tipo de cabelo precisa de muitas escovadas. Lavar de véspera é uma boa ideia. Melhor do que tentar domar os fios no mesmo dia, quando ainda estão muito leves e soltos.

dica definitiva

Balanço e brilho: sinais de que seu cabelo está saudável.

Cabelo também precisa de proteção solar. Os produtos sem enxágue (leave-in), além de facilitar o penteado e proteger os fios do calor do secador, costumam combinar fator de proteção solar + queratina, e, em alguns casos, trazem óleos essenciais que ajudam a manter a hidratação dos fios.

Contrariando o destino

A tesoura pode ajudar, mas não tem o poder de alterar o aspecto que define seu tipo de cabelo – liso, crespo, enrolado. Nem de fazê-lo crescer de um momento para outro. Se você não se conforma com esse destino, considere a possibilidade de enrolar o liso, acalmar os cachos, alisar o crespo e até de alongar as madeixas.

Antes de realizar qualquer processo químico para alisar ou encrespar o cabelo, faça um penteado simulando o que você deseja. Só tome a decisão definitiva depois de olhar mil vezes no espelho. Se possível, procure um serviço que produz o efeito no computador. O seu cabeleireiro também pode simular vários looks utilizando extensões de cabelos do tipo "tic-tac".

Vá ao salão com o cabelo ao natural, sem nenhum cuidado especial. Assim, o profissional poderá avaliar os seus problemas *reais*, e não os imaginários. Além disso, converse antes que ele mande o atendente lavar sua cabeça. *Nada* substitui uma boa conversa para que ele encontre o produto mais adequado para o seu caso.

Último passo: peça ao cabeleireiro um teste de resistência. Ele faz numa mechinha, discretamente, e evita sustos com reações alérgicas.

mito ou realidade

Cabelos descoloridos, com reflexos ou que receberam colorações com oxidantes fortes (como, por exemplo, quem passou do castanho para o loiro) são **realmente** candidatos a reagir contra outros processos químicos permanentes. Em geral, a solução para cabelos com excesso de elasticidade quando molhados, sem brilho ou com o famoso "aspecto palha" não é fazer um novo processo químico, mas sim uma boa nutrição!

Sobre extensões

Muitas mulheres recorrem às técnicas de alongamento ou extensões para esconder falhas ou para ter o cabelo do jeito que elas imaginaram. Porém, milagres não acontecem! O uso prolongado de extensões pode deixar você careca. Descanse no mínimo um mês entre uma temporada e outra.

Aposte em

- Cola à base de queratina e na técnica em que o profissional faz a emenda com o movimento de **enrolar**, impedindo que os fios naturais se misturem aos da extensão. Resultado: a cola não penetra nos fios naturais e eles não ficam grudados aos da mecha, facilitando a remoção.
- Apliques instantâneos de mechas de cabelo sustentados por presilhas (tic-tac) produzem um novo visual em minutos – uma boa solução para um dia de festa.

Evite

- Cola à base de silicone e técnicas em que o profissional emenda os fios com o movimento de **achatar**. Resultado: o fio da extensão se mistura aos fios naturais, causando danos na hora do descolamento.
- Tirar mechas em casa, ao primeiro sinal de descolamento; danifica os fios naturais por muito tempo.

Mudar a cor

Essa decisão costuma ser movida por duas razões básicas: ou você está cansada da sua cara e quer outro visual, ou precisa cobrir os cabelos brancos. Para ambos os casos, trate de escolher o profissional certo e uma solução adequada em matéria de produtos colorantes. Lembre-se também de que, depois de aplicar uma tintura ou coloração, as raízes com a cor natural voltam a aparecer. Então, pode se preparar para uma nova vida – sobretudo se o cabelo que volta é branco!

Dicas para quem faz tintura para variar o visual

- Procure fazer a química num bom cabeleireiro, ao menos nas primeiras vezes. Assim você vai aprendendo as melhores misturas para, mais tarde, reaplicar você mesma se necessário.
- A tintura é uma coloração permanente. Fixa a cor nos fios usando amônia na fórmula. Só uma nova tintura ou um processo de "descoloração" (que é radical e deve ser feito no salão) reverte essa decisão. Em último caso, experimente cortes sucessivos.
- A tintura para cobrir a cor natural dura cerca de quarenta dias, ou até mais, se você não se importar em usar as raízes mais claras ou mais escuras. A moda às vezes permite e até estimula raízes de cores contrastantes. Se for esse o seu caso, pode durar além desse prazo.
- Colorações semipermanentes estão à sua disposição no salão de beleza ou nas prateleiras das lojas. Elas não modificam a cor. A partir da base natural, o que fazem é adicionar o reflexo desejado – dourado, acinzentado, acobreado ou avermelhado. As fórmulas contêm agentes oxidantes mais suaves que a amônia ou a água oxigenada. Exigem reaplicações mensais.
- Sprays coloridos e canetinhas para mechas são tintas que saem com uma lavada. Quem busca um look para uma festa pode aplicar sem susto. Dá um efeito um pouco "melado".
- Efeito de luzes imita o cabelo que dourou com o sol. É feito no salão, com água oxigenada, mas a cor básica predomina sobre os "fios dourados".
- *Highlights* são mechinhas feitas com água oxigenada com o único objetivo de acentuar alguns pontos de luminosidade. Podem ser feitas sobre o fio inteiro ou só nas pontas, como a tão desejada "mecha californiana".
- A técnica de reflexo, com o uso de água oxigenada, e que só o cabeleireiro dá conta do recado, produz um efeito contrastante entre fios claros e escuros, nas nuances de cores desejadas.
- Os cabelos que ficaram loiros podem ganhar um efeito "gema de ovo" que vai além do desejado e dar um look vulgar. Se não é esse o seu objetivo, converse com o cabeleireiro para usar uma composição no tom "irisado" (o roxo, na cartela de cores dos fabricantes).
- O sol e a piscina são inimigos terríveis do cabelo tingido, fazendo-o clarear ou esverdear.

Dicas para quem faz tintura para cobrir os brancos

- Calendário: marque na agenda quando fez o último retoque de raiz para não ficar de cabelos brancos nas datas importantes – Natal, *réveillon*, aniversários, no meio de uma viagem, etc. Os fabricantes de tintas recomendam um intervalo mínimo de 15 dias entre as aplicações.
- Peça ao profissional que retoque a raiz apenas na parte da frente dos cabelos, a região mais exposta, só espalhando a tinta no restante dos cabelos nos minutos finais. Assim, evita que o efeito acumulativo da tintura pese no look, destoando da cor desejada.
- Saiba quais as misturas feitas no salão para não ficar refém do seu tinturista.
- Mantenha o tom! Cuidado para não cair justamente naquele acaju, o maldito tom avermelhado das morenas, que fica cor-de-rosa à luz do sol; ou o alaranjado das loiras.
- Não julgue a cor do seu cabelo pelo que você vê no elevador. Lembre-se de que a cor sob a luz fria revela o que ninguém vê na luz do dia, em outros ambientes.
- Para disfarçar um pouco as raízes brancas numa emergência, existem bastões apropriados. Se seus cabelos são escuros, o rímel pode ajudar a esconder a mechinha da frente. Mas é só um quebra-galho!
- Não se esqueça de tingir as sobrancelhas, no caso de os brancos aparecerem. Ou disfarce com rímel. O que não pode é sair tirando fio a fio.

De maneira geral, o retoque da raiz tem de ser feito:

70% a 100% brancos: em 15 dias.
50% a 70% brancos: em 20 dias.
25% a 50% brancos: em 25 dias.
5% a 25% brancos: de 35 a 40 dias.

Tintura em casa

Tenha o kit completo em sua casa para uma emergência:

1. tintas + água oxigenada;
2. gel protetor, para prevenir o halo de tinta que fica na pele, na orelha, etc.;
3. loção de limpeza específica para tirar manchas de tintura da pele.

- *Acessórios fundamentais: um bom par de luvas + pincel com cabo longo e fino para separar as mechas + pote apropriado para tintura.*
- *Coloque uma blusa ou malha abotoada na frente, velha e escura, para facilitar na hora em que você for para o chuveiro, pois tintura suja e mancha o tecido da roupa.*
- *Não improvise. Não deixe a tinta por menos tempo em razão da pressa nem deixe passar da hora porque se distraiu com a tevê ou o com computador. Siga rigorosamente as instruções da embalagem.*

comportamento

Tingir ou não tingir? Eis a questão que aparece com os primeiros cabelos brancos. Não há solução melhor do que colori-los. Se você é uma pessoa engajada que considera qualquer intervenção na sua aparência artificial, então deixe a natureza tirar as cores da sua cabeça. Mas, em geral, quando vejo mulheres de cabelos brancos, sem retoque algum, é como se elas me dissessem: "Cansei do jogo de sedução! De agora em diante vou curtir meus netos. Não quero mais saber de sexualidade". Por isso, reflita se não é esse o seu caso, antes que o branco tome conta da sua vida. E, de qualquer modo, use ao menos um xampu apropriado, para evitar o aspecto amarelado e que valorize o branco.

Já os homens escapam dessa situação. Ficam realmente charmosos com os cabelos prateados. Distintos e chics. Em compensação, acho difícil um homem de cabelos pintados. Parece sempre artificial, meio ridículo. Nunca vi um que melhorasse de aparência com esse recurso.

Calvície feminina

No passado, a natureza reinava tranquila, não havia a mesma demanda por juventude e todo mundo aceitava a inevitabilidade do envelhecimento. As mulheres, por exemplo, ficavam quase carecas, e isso era considerado normal. Hoje, com tantas armas para contrariar os efeitos desagradáveis do tempo, não há quem queira ficar com os cabelos fininhos e ralos nas últimas décadas da vida.

É esperado que, com o passar do tempo, especialmente depois da menopausa, todas as mulheres sofram um afinamento dos fios e uma perda natural na quantidade de cabelos. Mas isso não implica ficar "careca".

A calvície feminina existe. Pode aparecer em qualquer idade, por razões genéticas, hormonais e nervosas. Também por consequência de uso excessivo de extensões e alongamentos de cabelos, de medicamentos, como antidepressivos e ansiolíticos, e de anemias e dietas mal conduzidas, entre outras causas.

A calvície mais comum na mulher é aquela no alto da cabeça, sem deixar entradas, ou a testa exposta (chamada de alopecia de padrão difuso). A mulher costuma procurar ajuda quando começa a enxergar o couro cabeludo no alto da cabeça, especialmente com os cabelos molhados.

O transplante, ou cirurgia capilar, é cada vez mais uma alternativa para recuperar esses fios. Não interrompe o processo de calvície, mas, em geral, como é feito no meio dos cabelos remanescentes, permite muitos jeitos de pentear e de arrumar – o que disfarça bem o problema estético.

A CIRURGIA

A sessão é feita num único dia e demora o tempo de tirar e separar as unidades foliculares da área doadora (em geral, da região da nuca) e reimplantar na área afetada (em média, seis horas).

ÁREA DOADORA: os cabelos da nuca, mais resistentes às alterações hormonais e capazes de manter as mesmas características da região de origem ao serem levados para a área calva.
ANESTESIA: local, com leve sedação, na própria clínica ou em ambiente hospitalar tipo *day-clinic*.
RECUPERAÇÃO: nos três primeiros dias, a nuca dói e pode haver inchaço na testa.
PERÍODO ESTIMADO: quinze dias sem atividade física intensa nem tratamentos químicos até a retirada dos pontos.

O resultado do processo pode demorar de nove a dezoito meses para chegar ao crescimento esperado. A cicatriz não fica aparente, pois está encoberta pelos cabelos da nuca. Mas a qualidade, mais fininha ou grossa, dependerá da elasticidade do couro cabeludo e das condições de cada pessoa. Procure saber antes do procedimento.

pode? não pode?

Os cabelos podem ser lavados depois da cirurgia capilar?
No dia seguinte à cirurgia, é preciso retornar à clínica para fazer a primeira lavagem e aprender a usar xampus e loções específicos. Durante a recuperação, os cabelos são lavados duas vezes ao dia, e um creme cicatrizante é passado na área doadora.

Os cabelos implantados podem ser tingidos?
Só depois de oito semanas pode tingir, cortar e fazer outros tratamentos de salão.

O que acontece com a mulher cujos cabelos foram recuperados se submetida à quimioterapia em virtude de um câncer?
Os cabelos transplantados (originários da região da nuca), embora mais resistentes aos processos hormonais, sofrerão os mesmos efeitos dos outros fios: cairão, dependendo das drogas utilizadas, e voltarão a crescer depois de finalizado o tratamento.

comportamento

Chapéu, peruca ou lenço?

Mulheres de todas as idades enfrentam com coragem e confiança a quimioterapia. Muitas pedem minha opinião sobre o uso de perucas, lenços ou chapéus. Confesso que sempre embatuquei na resposta. É uma decisão que depende muito da personalidade de cada pessoa. Parece, entretanto, que algumas coisas têm que ser levadas em conta antes de qualquer decisão.

É claro que uma mulher sair pela rua com a cabeça completamente sem cabelos chama muito a atenção. É uma forma aberta e desafiadora de enfrentar a situação, podendo deixá-la exposta a vários tipos de manifestações – das mais simpáticas às mais invasivas.

Perucas, chapéus ou lenços diminuem o impacto dessa exposição, mas também não passam completamente despercebidos. Acaba-se sempre notando que há algo por trás do subterfúgio. Um bom recurso é usar a peruca sob o lenço, pois assim dará à cabeça um volume mais próximo da aparência natural.

De qualquer modo, nunca será a aparência de antes do tratamento. Mas lembre-se de que vai passar e que as pessoas ao redor estão menos voltadas para a estética e mais preocupadas com seu bem-estar.

A moda de todo dia 6

Sólo perduran en el tiempo las cosas que no fueron del tiempo

Jorge Luis Borges, *Eternidades*.

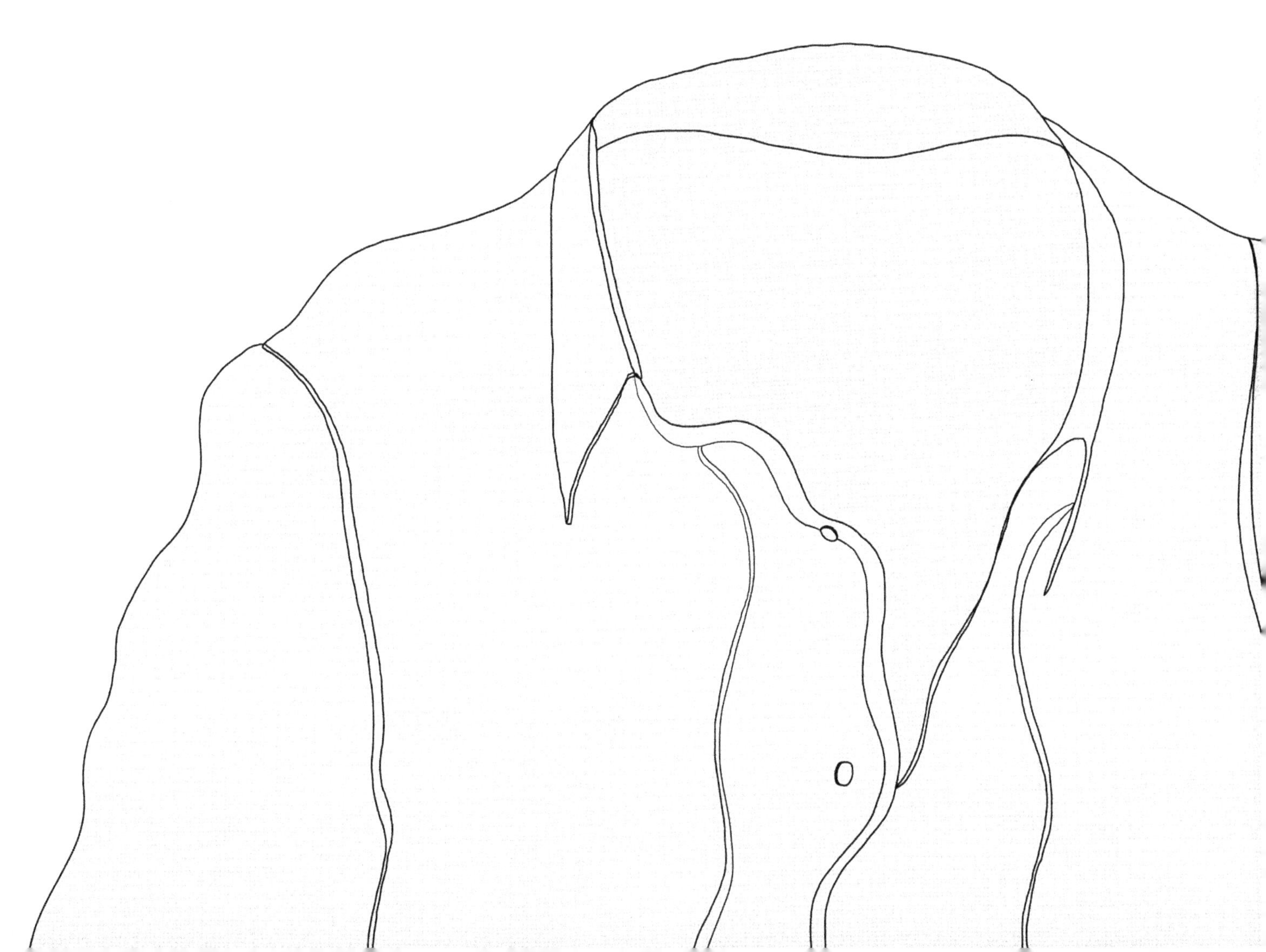

O básico

O básico são as roupas e os acessórios que todo mundo deveria ter no guarda-roupa ao longo dos anos. São modelos clássicos e de fácil coordenação entre si que, com o mínimo, proporcionam o máximo de variações. Com boas peças básicas, você dá a volta ao mundo sem perder a pose e o estilo. Duvida?

Costumo chamar essas peças de **super-heróis** do guarda-roupa, porque estão lá, de prontidão, para salvar você de qualquer situação. E recebem, de braços abertos, seus toques pessoais de estilo — apesar de tantas vezes desprezadas e humilhadas pela moda. O básico é o pano de fundo para a sua personalidade.

O básico feminino

- 1 camisa branca
- 1 jaqueta jeans
- 1 jaqueta de couro, camurça ou náilon
- 3 camisetas brancas (manga longa, curta e regata)
- 3 camisetas pretas (manga longa, curta e regata)
- 3 camisetas cinza mescla (manga longa, curta e regata)
- 1 camiseta listrada (azul e branca, ou preta e branca)
- 1 suéter e 1 cardigã de cor neutra (areia, marinho ou cinza)
- 1 blazer preto
- 1 blazer de lã (xadrez, tweed, príncipe de Gales) em tons de cinza, marrom
- 1 mantô de lã preto, marinho, camelo ou marrom
- 1 trench coat
- 1 saia preta
- 1 saia jeans ou cáqui
- 1 vestido pretinho (para coquetel, casamentos)
- 1 vestido de verão leve (de alcinhas, de algodão estampado)
- 1 vestido de inverno
- 1 calça cáqui
- 1 calça preta
- 1 calça jeans
- 1 robe ou quimono
- 1 roupa para prática de esportes (top + calça de fibra elástica + agasalho)
- 1 short ou bermuda jeans ou cáqui
- 1 maiô ou biquíni
- 1 canga ou saída de praia
- 1 cinto marrom
- 1 cinto preto
- meias-calças (espessura e cor dependem das necessidades da moda)
- meias (soquete, três quartos, pretas e brancas para a roupa de esporte)
- 1 sapato preto social de salto
- 1 sapato baixo preto
- 1 sapato esportivo marrom
- 2 sandálias (uma de salto alto e outra baixa)
- 1 tênis
- 1 bolsa preta
- 1 bolsa marrom
- 1 bolsa pequena de festa
- 1 boné ou chapéu para o sol
- 1 par de chinelos tipo Havaianas®
- 1 bota para o dia e outra para a noite – se você mora em regiões frias

Reserve um canto do armário para os super-heróis. *Uma visualização permanente das peças básicas é fundamental para mantê-las atualizadas e para misturá-las com as peças da estação.*

A quantidade de peças de cada item depende de seu estilo, necessidade e bolso. E a lingerie fica por conta das necessidades e da imaginação de cada uma!

Fique atenta aos movimentos da moda: às vezes, cores neutras, como cáqui, musgo, bege ou cru, podem substituir o branco, o preto ou o cinza por temporadas.

dica definitiva

Para montar esse time de heróis, não economize. Pese, mais do que nunca, a qualidade, o corte e o tecido impecável. Seu objetivo é ter uma peça que vai durar mais tempo no guarda-roupa, e, portanto, o seu investimento será amortizado. Nesse caso, econômico significa mais durável.
Com o passar do tempo, entretanto, seu básico vai ficar fora de moda. Por isso, fique atenta para mantê-lo atualizado. Por exemplo, tenha um blazer preto mais ajustado, conforme a tendência e as proporções do momento; outro mais largo, para os dois anos seguintes. São variações do mesmo tema. Mas sempre "um blazer preto", que vai tirar você de qualquer aperto.

Teste seus heróis

Não me venha com a bobagem de achar que básicos são chatos e sem graça; eles fazem o que você mandar e se adaptam a qualquer personalidade e, camaleonicamente, podem até virar uma roupa de moda.

Com o guarda-roupa básico, você está armada para enfrentar qualquer situação: rodar o mundo, escalar montanhas, cair na piscina, fechar um grande negócio. Imagine um convite de última hora. Ou uma situação completamente inusitada. Faça o teste. E, no final, você sempre acaba bem...

Se acordarem você no meio da noite... Você está nua e o prédio em chamas.
Vista o robe por cima da camiseta. Assim não corre o risco de sair por aí num sarongue ridículo improvisado com a toalha de banho.

Se surgir um almoço surpresa para comemorar o aniversário de uma amiga.
Vista-se depressa: calça cáqui, blazer preto e a camiseta listrada por baixo. Dê uma corrida ao florista, só para agradar.

Se você está de moletom passando o dia na montanha e descobre que vai ter uma festa chic na mesma noite...
Dê uma cochilada no final da tarde para se recuperar. Enfie-se no vestido pretinho, calce o sapato social preto ou a sandália preta de salto e pegue a bolsinha de festa. E, se der uma esfriada, jogue por cima o blazer preto, a jaqueta de couro ou o cardigã.

Se você recebeu um convite de inauguração para uma exposição de arte numa galeria da moda.
Não pense que o vestido pretinho para coquetel + salto poderoso resolvem o problema. É melhor buscar algo mais casual, porém com um toque fashion. Vista sua calça jeans nas proporções da hora + regata preta + jaqueta de couro + bota curta ou por baixo da calça.

É o dia do primeiro encontro!
Os homens adoram mulheres bem femininas: se estiver calor, o seu vestido de alcinhas, de algodão estampado + sandália de salto forma uma dupla certeira. Se esfriar, saia preta + regata preta por baixo + meia + sapato de salto + cardigã ou jaqueta jeans ou de couro por cima.

Se você for jantar pela primeira vez com os pais do namorado.
Não precisa se fazer de santa nem revelar seus mais íntimos valores pessoais e suas idiossincrasias. Apenas combine uma roupa mais neutra com uma pecinha que revele um pouco da sua personalidade: saia preta + regata preta + jaqueta de couro ou jeans por cima, para mostrar que você quer quebrar a formalidade.

mito **ou** realidade

"Gente chic mesmo não repete roupa!" Eu queria saber de onde saiu essa loucura. Não sei se a origem dessa crença é puro provincianismo ou se é mesmo resposta a um desejo infantil de mostrar algo novo o tempo inteiro. É chic repetir roupa. Absurdo é montar um traje a cada dia! Falta absoluta de estilo...

Se você ainda não se convenceu, prossiga com as ocasiões propostas e descubra que o básico é resposta para tudo.

CABELEIREIRO: camisa branca + calça jeans + sandália.
ALMOÇO COM AS AMIGAS: camiseta listrada + saia cáqui + sapato esportivo marrom.
JANTAR NA PIZZARIA: escolha o que você quiser entre as peças mais informais desse guarda-roupa – só não vá vestida com roupa de ginástica.
CINEMA: vestido de verão + cardigã nos ombros + sandália.
COMPRAS NO SHOPPING: regata branca + bermuda cáqui + sandália baixa.
AEROPORTO, BUSCAR O FILHO NO COLÉGIO OU DIA CHUVOSO: jogue o trench coat em cima de qualquer coisa que estiver usando por baixo.
JANTAR FORA NO INVERNO: vestido + meia-calça preta + sapato preto de salto + mantô preto, marinho, camelo ou marrom.
DIA OU NOITE DE INVERNO: blazer de lã + saia preta ou calça preta, jeans ou cáqui + qualquer uma das camisetas ou camisa branca + bota. Nas duas ocasiões, jogue o mantô por cima.
MEGASHOW EM ESTÁDIOS: bermuda, short ou jeans + regata + jaqueta amarrada na cintura + tênis ou bota. Num dos bolsos, uma capinha de chuva. Se usar bolsa, ponha a tiracolo, para não ter de passar a noite inteira segurando.
JOGO DE FUTEBOL: bermuda ou jeans + regata (ou a camiseta do time) + agasalho de moletom amarrado na cintura + tênis.
FUNERAL: se o funeral reúne apenas pessoas da família e amigos, o melhor é ir com uma roupa discreta, sem a necessidade de luto: calça cáqui + camiseta preta ou branca + cardigã por cima. Só não me apareça de bermuda,

vestido de alcinhas ou roupa de ginástica! Já no caso de funerais formais, como os de empresários, políticos e personalidades velados na Câmara da cidade, prefira saia preta + camisa branca + blazer preto. Deixe as roupas de luto fechado para as pessoas realmente próximas do falecido.

dica definitiva

Como você viu no nosso "Teste seus heróis", dá para montar qualquer look com esse guarda-roupa. Mas, se quiser dar uma enfeitadinha, monte um kit que se revelará um grande acompanhante dos básicos:

- argola e pulseira de prata
- argola e pulseira dourada
- brinco e pulseira de strass ou de pérolas
- 1 echarpe preta
- 1 echarpe colorida
- 1 echarpe estampada (estampa de onça, por exemplo)

Jeans

O jeans é uma paixão brasileira. Uma espécie de passaporte para quase todas as situações – muito diferente do que ocorre em outros países, onde é mais usado como roupa de lazer para o fim de semana ou férias e uniforme de colegial. Nada contra o reinado do jeans. Porém, até uma roupa fácil e conhecida como essa tem o seu cerimonial. O jeans não é infalível.

O *básico* é o modelo tradicional azul (o original *blue* jeans), reto, com cinco bolsos – três na frente e dois atrás – e que desbota conforme vai sendo usado.

A cada estação, surgem tantas variações de jeans que é fácil se confundir, ainda mais quando é a mesma calça, décadas depois, que reaparece com novo nome. A seguir, confira um glossário com os principais *tipos de cortes e caimentos* que você deve encontrar nas lojas até a próxima invenção.

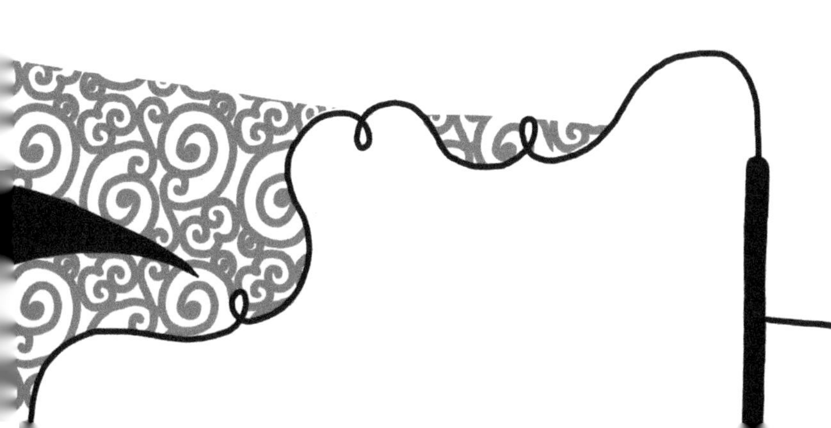

O básico

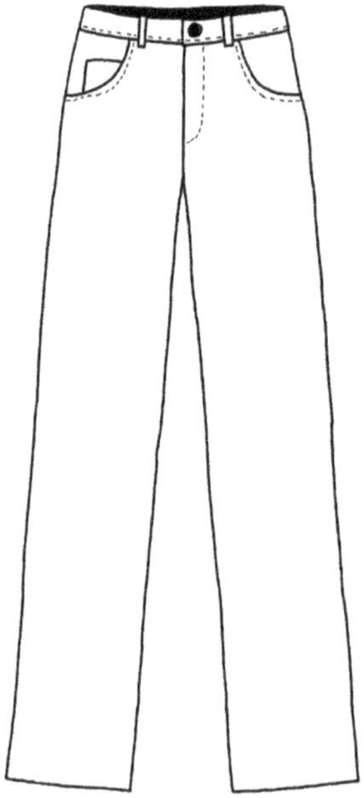

Skinny:
justo e colado ao corpo, é o primo moderno do modelo cigarette.

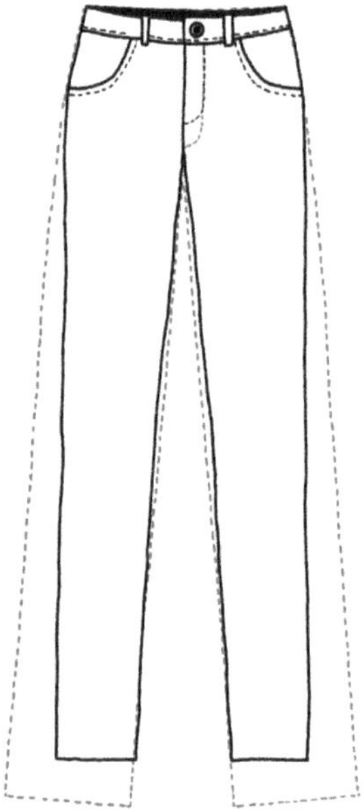

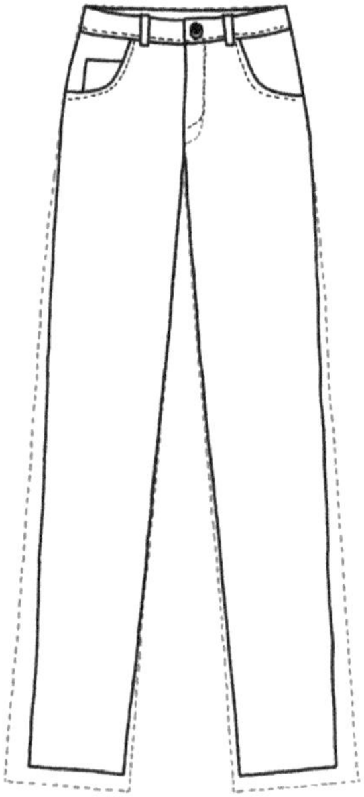

Slim-fit:
reto e seco.

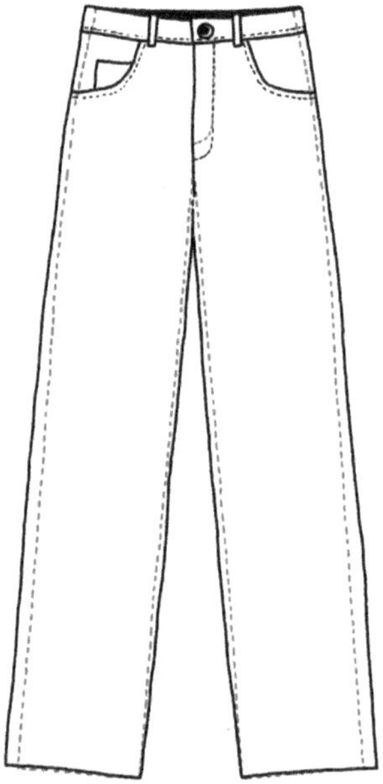

Cigarette:
justo, sem ser colado.

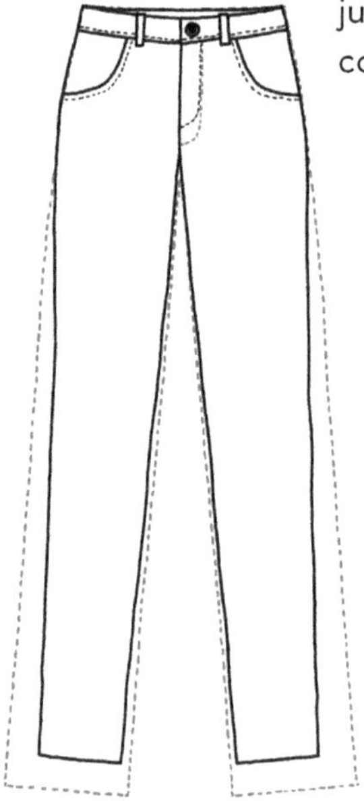

Jegging:
ultrajusto, é a legging feita de jeans.

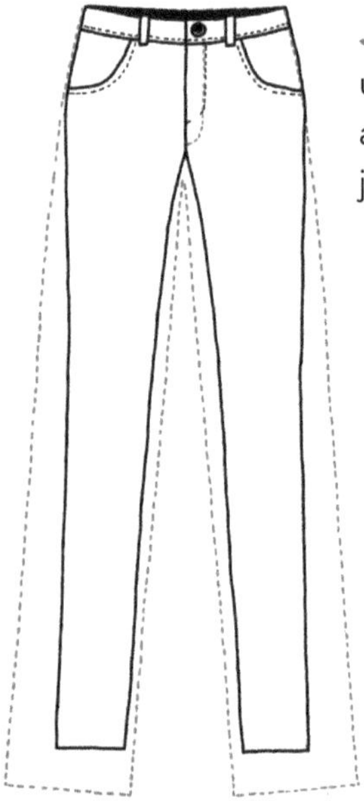

Antifit:
modelagem da primeira Levi's 501. Tem botões ou zíper, quadril desestruturado e corte reto nas pernas. Como diz o próprio nome, não é um jeans de caimento perfeito, deixando sobras no quadril e no cavalo. Seus pontos favoráveis: conforto e estilo easy.

Clochard:
de cintura muito larga, ajustada por cinto.
As pernas são arredondadas, mais ajustadas embaixo.

Oversized:
propositalmente grandão, tanto na largura da perna como no gancho e no tamanho do zíper. É como se você vestisse uma calça cinco vezes o seu tamanho.

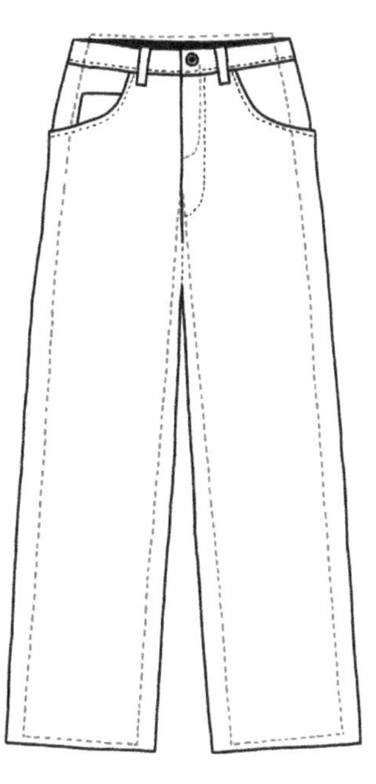

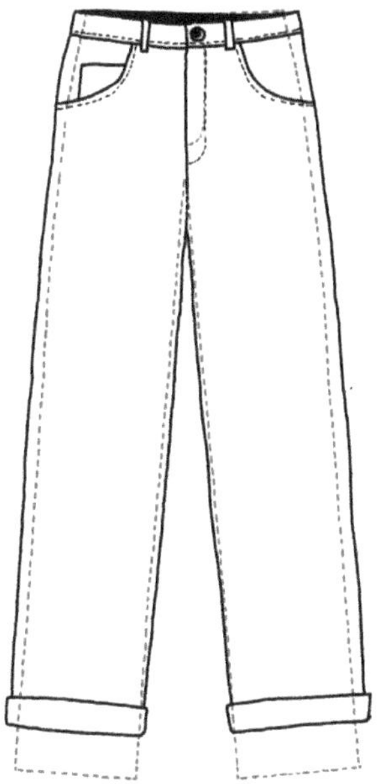

Boyfriend:
mais contido que o oversized.
É como se você usasse o jeans "do namorado", duas vezes maior do que o seu. Geralmente é usado com a barra dobrada.

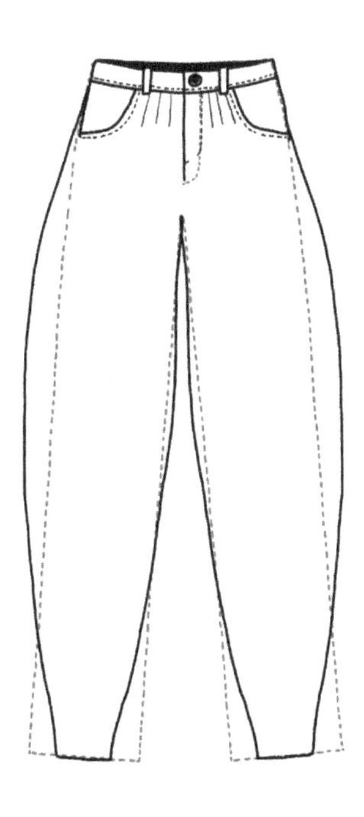

Baggy e **semibaggy:**
populares na década de 1980, de modelagem grande e arredondada em cima e afunilando embaixo. Engordam e diminuem a estatura. O corpo da brasileira já é "semibaggy". Por isso, cuidado com eles. Nos últimos anos, receberam o nome de cenoura.

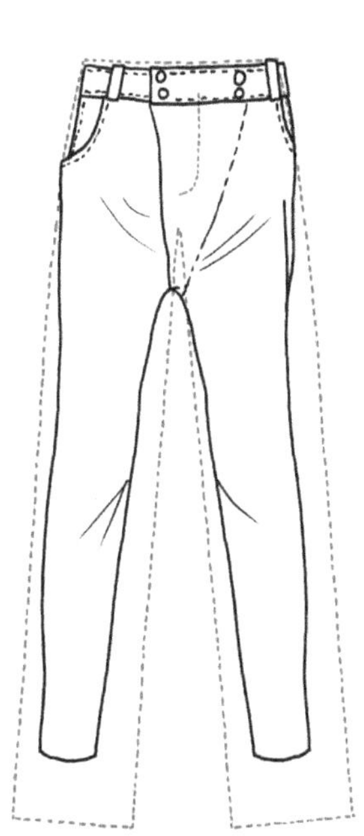

Saruel:
tem o gancho bem baixo e folgado e a perna ajustada.

COMPRIMENTO

CORSÁRIO: calça mais curta, termina abaixo dos joelhos.
CAPRI: calça mais curta, termina no meio da panturrilha.

CINTURA

A cintura do jeans depende da moda: pode ser alta, no lugar, baixa ou baixíssima.

BOCA

BOOT-CUT: reto até o joelho e com boca aberta o suficiente para que possa ser usada com bota por baixo.
BOCA LARGA (FLARE): justo até o joelho e abrindo no restante – um pouco mais do que a boot-cut.
BOCA DE SINO, PATA DE ELEFANTE (WIDE-LEG): com formas largas e a boca mais exageradamente aberta.

COR

BLUE JEANS: azul e suas variantes.
BLACK JEANS: preto e suas variantes.
JEANS COLOR: o branco e os coloridos vivos.

Uma dessas três categorias está sempre na moda.

LAVAGEM E ACABAMENTO

A indústria inova a cada estação, dando ao jeans todos os aspectos: metalizado, destruído, detonado por jato de areia, rasgado, desfiado, etc. Lembre-se: as lavagens mais escuras são emagrecedoras. E os acabamentos muito "enfeitados" – como tachas, pedrarias, rebites, bordados – seguem o vaivém da moda e não são bem vistos em horário de trabalho.

Como usar

O jeans deixou de ser apenas uma calça esportiva e de fim de semana para ser um companheiro de todas as atividades, de dia ou de noite.

Aposte em

- Jeans básico com combinações contrastadas: blusas de lantejoulas ou lurex, sandálias de salto com detalhes de strass.
- Jeans com ares de roqueira: com jaqueta de couro preta, bota preta, acessórios de metal - uma silhueta esguia e justa.
- Bainha sempre à máquina, como a original, ou desfiada, dobrada, rasgada, como a moda pede.

Evite

- Transformar seu blue jeans, símbolo máximo de informalidade, numa roupa formal, careta - ele não se dá bem com blusas de seda, cinto e sapato combinando e ferro batendo seu vinco.
- Bainha larga dobrada para dentro, feita à mão, ou, pior ainda, à base de fita-crepe ou grampeador.

pode? não pode?

Tenho mais de 60 anos. Posso usar jeans?

É claro que sim! Mas em situações informais e esportivas: em casa, nos fins de semana, para fazer compras no supermercado, enfim, em todas as ocasiões onde você costuma vestir sua calça de moletom. Também pode usar nas reuniões entre amigos e no cineminha. Nesses casos, prefira o jeans preto. Na sua idade, jeans não é roupa para ocasiões formais, como restaurantes chics, teatros, jantares e festas.

Posso usar jeans à noite?

De tempos em tempos, a moda dá o sinal verde para os jovens usarem jeans nas festas noturnas – aniversários, baladas, reuniões. O sinal vermelho permanece em se tratando de festas formais, como casamentos, missas, solenidades oficiais, bailes de formatura.

Jeans pode entrar no escritório?

Depende da cultura da empresa: algumas permitem, outras, não. Se a empresa ainda não publicou um código de vestir, procure se informar com o pessoal de recursos humanos.

Como usar jeans com jeans?

Blue jeans com *blue jeans*, ou seja, azul com azul; *black jeans* com *black jeans*, ou seja, preto com preto, em lavagens próximas – o que não impede que a moda faça das suas e invente outras combinações. Além disso, fica muito bom misturar dois pesos diferentes de jeans: o mais pesado para a calça, a saia e a jaqueta e o mais leve para a camisa.

De qualquer modo, ao sair de jeans total, não use com sandálias ou bolsas do mesmo tecido, sob pena de morrer de overdose.

Short jeans. Não é muito vulgar?
O short jeans, para as jovens, passou a ter o mesmo uso que a calça jeans. O melhor conselheiro é o espelho: tem de se considerar o corpo e a idade nessa hora de decisão.

Lazer

Para os *dias de folga*, repouso e conforto. Com charme, por favor. Olhe a foto ao lado. Década de 1930. Um homem de *linho branco*. Duas mulheres homenageiam a manhã. Tecidos leves, chapéus de palha – um passeio, um pouco de ar puro. Um sentido de harmonia e elegância. Nem a correria, nem a falta de tempo, nem o comportamento menos formal dos nossos dias – **nada** – justifica a falta de gosto que se vê atualmente nas roupas casuais só porque o momento é de *relax*. Só falta as pessoas saírem às ruas de pijama!

Com elegância...

Nada mais agradável que aproveitar uma bela manhã ou tarde para esticar as pernas num lugar bonito. Vença a preguiça. Vá para a praia. Vá passear. Toda cidade tem um lugar especial, com vista bonita, com ar puro, para você aproveitar. O efeito é tão estimulante quanto um bom drinque!

Acredito no poder dos *rituais* que dividem o dia em horas de lazer, de trabalho, de encontros, de boemia ou de formalidades. Cada um tem seu pequeno cerimonial, seu charme próprio. Sem os rituais, o que nos resta? A barbárie.

Assim também é o com o casual. Casual não significa vale-tudo. Embora ocupe cada vez mais espaço no guarda-roupa, ele tem seus funcionamentos e suas particularidades: o casual para o trabalho é diferente do casual para ir à missa, ao cinema, e diferente da roupa que você veste para praticar esporte.

É claro que a gente sente a grande influência dos esportes na moda feminina, especialmente depois dos anos 1980, quando o *fitness* entrou definitivamente na vida das pessoas como requisito de saúde — assim como não fumar e manter uma dieta saudável. Todos os esportes, mesmo os radicais, como os de aventura, *skate*, surfe e alpinismo, foram parar na prancheta de estilistas. A moda, então, passou a propor misturas do casual com o formal. Surgem moletons com capuz por dentro de blazers, listras da Adidas© em calças de alfaiataria, recortes de neoprene das roupas de mergulho em vestidos de festa, shortinhos para prática de boxe irrompendo de saltos altos e até sutiãs de biquínis usados como lingeries.

Nessa nova paisagem, você precisa manter o desconfiômetro ligado, porque, depois de passada a estação, a gracinha da moda perde a validade e as roupas voltam para o seu hábitat natural: o moletom retoma a aula de ginástica, as listras enfeitam o agasalho esportivo, o neoprene cai na água, os shortinhos de boxe vão para o fundo da gaveta e o sutiã do biquíni vai à praia. E você continua, sem perder a pose nem a elegância, curtindo o seu lazer.

comportamento

Os maiores crimes contra a aparência são cometidos com a roupa de ficar em casa. Sobreposições de camisetas furadas, moletons deformados, robes puídos, sobras do guarda-roupa: o "casulo" do horror. Chinelões, pantufas desfeitas, meias desabadas. Não se revele na intimidade uma gata borralheira – especialmente se você não mora sozinha. Depois, de que adiantará sair por aí de Cinderela?

Praia

É um privilégio estar à beira-mar. Metade do Brasil tem essa sorte. Praia é um espaço democrático. Não é hora de cuidados exagerados com a aparência. A praia é para *despir-se*. Para tomar sol, banho de mar, encontrar amigos, jogar bola, brincar com as crianças.

"Despir-se" é um direito de todos na praia: velhos e moços, gordos e magros, sarados e não sarados. Mas, com certeza, você vai aproveitar melhor esse prazer se estiver adequadamente despida e confortável.

Vista o seu maiô ou biquíni. Vá para a frente do espelho duplo e olhe-se de frente e de costas. Você vai saber onde e o que deve disfarçar ou realçar. Para facilitar a escolha das peças, considere:

DETALHES: laços, cintos, bordados, franzidos e drapeados puxam o olhar: use-os para chamar a atenção para os pontos positivos.
TECIDOS: os opacos desviam o olhar, enquanto os brilhantes o atraem.
ESTAMPAS: fundos escuros e estampas menores não chamam tanto a atenção quanto os claros e maiores.

MUITO BUSTO, OU UM POUCO CAÍDO

Aposte em

- Maiôs clássicos com recorte sob os seios, que dão a sustentação necessária.
- Modelos taça ou com aro de sustentação no busto – seja para sutiã do biquíni ou maiô inteiro.
- Alças largas e ajustáveis.
- Sutiãs com laterais largas.
- Calcinhas do biquíni do mesmo tamanho do top, para equilibrar.
- Tecidos elásticos, firmes e confiáveis.

Evite

- Decotes tomara que caia ou sutiãs do tipo bandana (bustiê).

POUCO BUSTO (SE VOCÊ ACHA QUE É UM PROBLEMA...)

Aposte em

- Maiôs com recorte sob o busto e sutiãs com bojo delicado.
- Sutiãs cortininha e os de amarração no pescoço.
- Decotes interessantes, para valorizar o colo.
- Detalhes que possam adicionar volume, como franzidos, fivelas, laços, bordados.

Evite

- Modelos sem nenhum recorte ou bojo, do tipo bustiê.
- Modelos meia-taça ou com bojos e aros que não possam ser preenchidos.

dica definitiva

MULHERES ALTAS: *um sutiã sem alças ajuda a disfarçar, se é esse o seu desejo.*

dica definitiva

O sutiã cortininha é o mais democrático. Veste bem a maioria das mulheres.

COM BARRIGA

Aposte em

- Maiôs com forro; se a barriga não for tão grande, um biquíni com calcinha escura e de cintura alta vai bem.
- Maiôs com muitos recortes e pespontos na região da barriga, que ajudam na contenção.
- Maiôs com franzidos ou drapeados.
- Maiôs cruzados na frente, que podem camuflar a barriga.
- Estampas grandes e coloridas por igual distraem o olhar em vez de ele se concentrar na barriga ou em qualquer outro foco.

Evite

- Que a parte de baixo do biquíni se enterre embaixo da sua barriga.

QUADRIL LARGO

Aposte em

- Decotes em V profundos, listras verticais, estampas e detalhes para alongar o torso.
- Cores claras na parte de cima e escuras na de baixo.
- Detalhes na parte de cima: franzidos, brilho, bordados, estampas.
- Calcinhas com laterais nem tão estreitas quanto as de lacinho nem tão largas quanto as do tipo shortinho; prefira as de três a quatro dedos de largura.

Evite

- Cobrir demais o quadril. Em vez de diminuir, ressalta o volume.
- Qualquer coisa com muitos detalhes na parte de baixo.

dica definitiva

SEIOS MUITO SEPARADOS: *aposte no sutiã com amarração na frente.*

SEIOS MÉDIOS: *sutiã meia-taça é "tiro e queda".*

TAMANHO G
(SE NÃO QUISER CHAMAR A ATENÇÃO)

Aposte em

- Maiôs escuros, lisos, opacos, com recortes de contenção – os de um ombro só são uma boa saída.
- Biquínis com algum bordado ou enfeite que chamem o olhar para o seu ponto forte.

Alguns quilinhos a mais pelo corpo: *cuidado com elásticos que apertem demais para não fazer saltar as gordurinhas indesejáveis.*

Costas gordas e com dobras: *o maiô muito decotado nas costas é uma panorâmica sobre o lugar que você quer esconder; prefira os mais fechados.*

pode? não pode?

Existe algum maiô ou biquíni que disfarce ombros muito largos?
Sim. Os modelos de alças no meio dos ombros, e não os de amarração no pescoço. Fuja também dos tomara que caia, e de maiôs com costas vazadas, do tipo nadador.

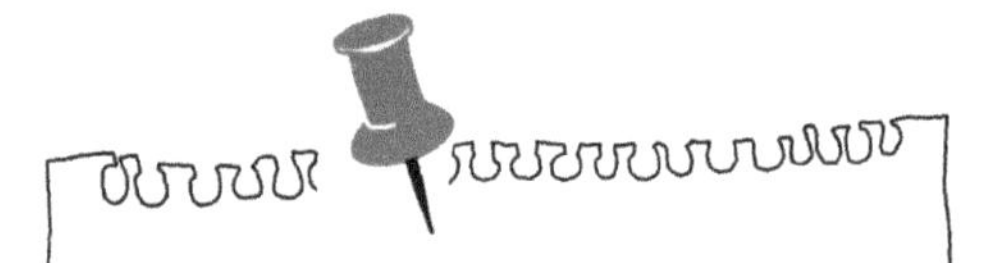

TROUXINHA BÁSICA
PARA A PRAIA

- 1 par de chinelos de praia
- protetor solar
- óculos escuros
- chapéu ou boné
- um pano para se enro
para sentar na areia

Túnicas indianas e camisas masculinas sempre serão saídas de praia aceitáveis.

comportamento

Coisas que enchem a sua paciência na praia: cachorro, música alta, areia da canga chacoalhada na sua direção, a possibilidade de tomar uma bolada, ficar presa guardando as coisas de quem prometeu voltar de um mergulho "rapidinho", lixo, criança perturbando, correndo e gritando por perto, namoros altamente explícitos, barraca muito perto da sua sem necessidade (não sendo em Ipanema, domingo, ao meio-dia).

Alerta máximo

Na praia, o sol não precisa ser o vilão, desde que você evite exageros:

- Chapéu, filtro solar e hidratante – trio infalível para proteger antes e não descascar depois.
- Não economize no filtro solar: passe no corpo inteiro antes de ir para o sol, com calma e sem areia; reaplique segundo as instruções do rótulo.
- Verifique se você não se esqueceu de proteger orelhas, axilas, a parte interior da coxa, a planta do pé e o dorso das mãos.
- Óculos de sol, só com lentes genuinamente antiUV (antirraios ultravioleta). Como saber? Invista num de boa procedência; a lente escura sem proteção convida a retina a se abrir mais à radiação – é pior do que estar sem óculos; deixe os moderninhos, comprados na banca do camelô para brincar no resto do dia.
- Batom, só com filtro antiUV.
- Mormaço – aí mora o perigo: a radiação UV é a mesma dos dias de sol; a diferença está em você, que sente menos calor e se protege menos.
- Fuja dos perfumes, especialmente os cítricos e à base de pinho: eles podem manchar a sua pele.
- Guarda-sóis de algodão e de cor clara – a cor escura absorve radiação e calor e os tecidos de náilon produzem sombra, mas não protegem da radiação solar.
- Não se esqueça de colocar na sacola, quando for a uma linda praia deserta, um bom repelente de insetos.

Informe-se sobre roupas de praia e para a prática de esportes ao ar livre com tecidos especiais capazes de bloquear radiações solares UVA e UVB em até 98% ou mais.

Já nem sei mais o que digo
ao divisar certo umbigo:
penso em flor, cereja, figo
penso em deixar de pensar,
e em louvar o costureiro
ou costureira — joalheiro
que expõe a qualquer soleiro
esse profundo diamante
exclusivo das praias
(Copas, Leblons, Marambaias
e suas areias gaias).

Carlos Drummond de Andrade, *Em louvor da miniblusa*.

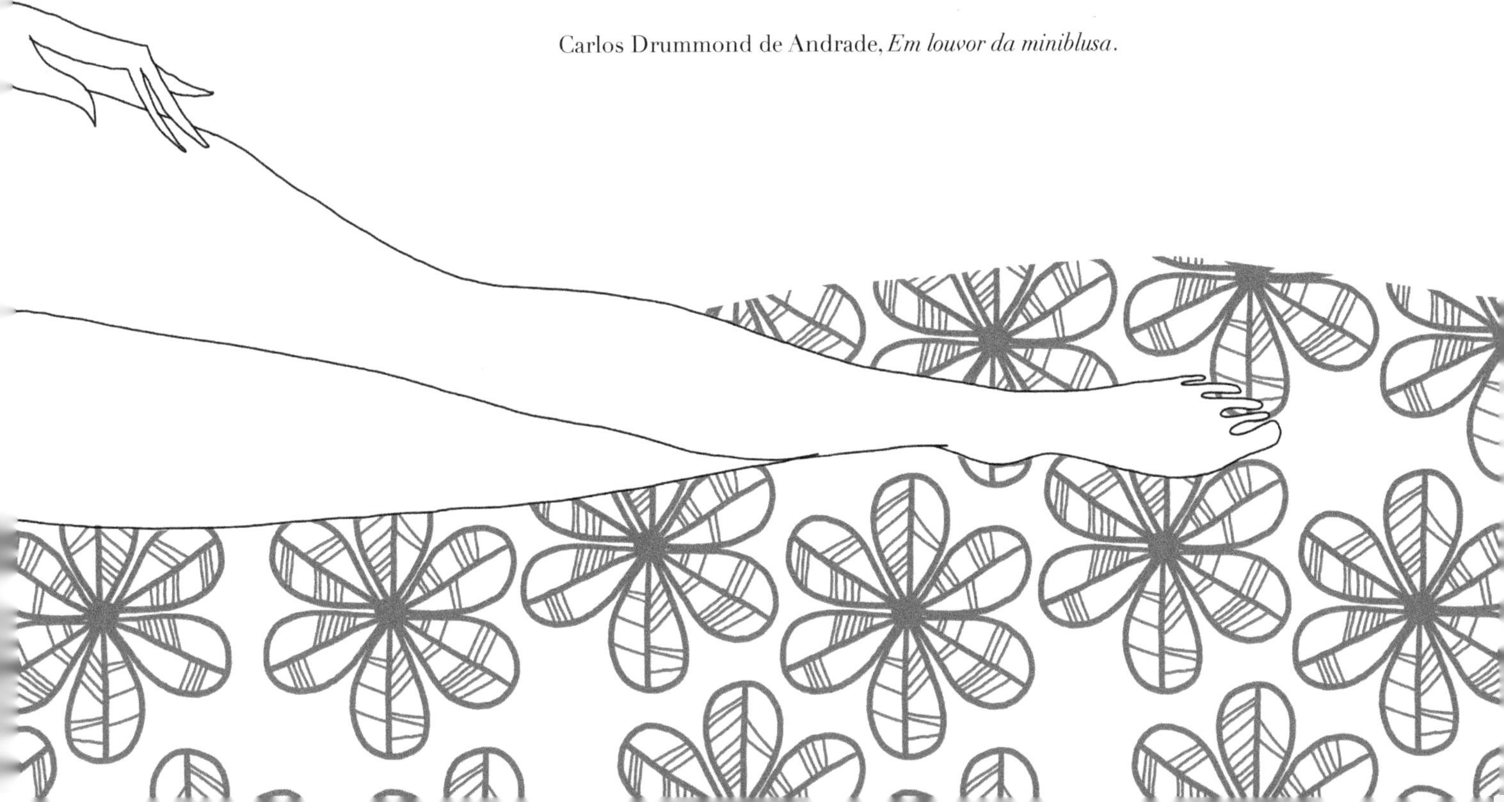

Campo

Você foi convidada para passar uns dias na fazenda de um amigo? Agendou uma ida à festa do Peão de Boiadeiro, em Barretos? Vai aproveitar o feriado numa cidade serrana? Tenho visto muita confusão no look das mulheres quando estão fora de sua cidade de origem. Nada pode ser pior que sair maquiadérrima e cheia de bijuterias com o pavoroso uniforme moletom de plush com botas de salto por fora.

Tudo bem que o interior do Brasil é mesmo cheio de possibilidades. Mas, quando o assunto é moda, podemos dividir o nosso campo em dois grandes universos:

COUNTRY NOS TRÓPICOS: ligado às fazendas, aos leilões de gado, às vaquejadas, com vestimentas inspiradas nas tradições de vaqueiros, gaúchos, peões e tropeiros de norte a sul do país. Mas, desde o século passado, recebe influência decisiva do caubói de Hollywood. É o mundo das botas bicudas, dos chapéus, das jaquetas franjadas de camurça, dos cinturões de prata, das roupas de couro e do jeans em todas as suas versões.

QUASE-NEVE: aqui, o frio e o chocolate quente temperam roupas inspiradas naquelas usadas nas montanhas frias e estações de esqui dos A. A. A. (Andes, Alpes e Aspen). É o universo das malhas pesadas e coloridas, das echarpes, dos impermeáveis com capuz de pele, dos matelassês, das botas, das roupas de couro e do jeans.

Seja qual for o tipo de campo em que você vai passar uns tempos...

Aposte em

- Calças compridas confortáveis – nem pense em outras peças se o percurso da caminhada promete mato e cercas pelo caminho.
- Tecidos leves para o calor, durante o dia.
- Tecidos fortes, como o couro, a camurça e o veludo para as noites frias.
- Jeans, jeans, jeans (é o grande momento dele).
- Xadrezes em geral.
- Camisetas de mangas compridas para proteger-se do sol e dos arranhões, se o programa for desbravar matas.
- Tênis reforçado para não escorregar no caminho e estragar o programa dos outros (aí, sim, entra o jogging).
- Botas de couro: sempre há o risco de cobras.
- Borzeguins, coturnos e outros primos das botas que sempre voltam à moda.
- Suéter para as noites.

Evite

- Botas ou qualquer sapato de salto fino: não combinam com lama, terra e grama.
- Tudo que for muito elaborado (penteados, maquiagens, roupas): vai contra a ideia do campo, onde o ar puro e a leveza são esperados.

O sol da montanha é mais forte que o da praia. O filtro solar continua obrigatório.

O vaqueiro

As vestes são uma armadura. Envolto no gibão de couro curtido, de bode ou de vaqueta; apertado no colete também de couro; calçando as perneiras, de couro curtido ainda, muito justas, cosidas às pernas e subindo até as virilhas, articuladas em joelheiras de sola; e resguardados os pés e as mãos pelas luvas e guarda-pés de pele de veado — é como a forma grosseira de um campeador medieval desgarrado em nosso tempo. [...] Apenas, de longe em longe, nas raras encamisadas, em que aos descantes da viola o matuto deslembra as horas fatigadas, surge uma novidade — um colete vistoso de pele de gato do mato, ou de suçuarana, com o pelo mosqueado virado para fora, ou uma bromélia rubra e álacre fincada no chapéu de couro.

O gaúcho

As suas vestes são um traje de festa, ante a vestimenta rústica do vaqueiro. As amplas bombachas [...] não se estragam em espinhos dilaceradores de caatingas. O seu poncho vistoso jamais fica perdido, embaraçado nos esgalhos das árvores garranchentas. E, rompendo pelas coxilhas, arrebatadamente na marcha do redomão desensofrido, calçando as largas botas russilhonas, em que retinem as rosetas das esporas de prata; lenço de seda encarnado, ao pescoço; coberto pelo sombreiro de enormes abas flexíveis. [...] O gaúcho andrajoso sobre um pingo bem aperado, está decente, está corretíssimo. Pode atravessar sem vexames os vilarejos em festa.

Euclides da Cunha, *Os sertões*.

Trabalho

Quem trabalha fora sabe muito bem: a roupa ideal é a que chega inteira ao final do dia, depois de passar por um verdadeiro teste de resistência. Vence a moda que segura uma *agenda lotada* de compromissos, um almoço para fechar negócios e, de quebra, um coquetel no fim da tarde que pode render um bom contato.

Vence a moda que está pronta para ficar de pé o dia inteiro, conquistando ou orientando um cliente. Ou, definitivamente, a moda que aguenta ficar sentada na frente do computador ou ao telefone trançando as chamadas por horas e horas.

No final do teste de resistência, o super-herói do trabalho é o guarda-roupa *básico*, personalizado conforme o cargo que você ocupa e a cultura da sua empresa ou atividade profissional. Peças **avulsas** são *best-sellers*, pois permitem composições inteligentes e poderosas para proteção das variações climáticas nos ambientes com ar-condicionado.

Social x profissional

Qual a diferença entre uma roupa social e uma roupa profissional? Você já pensou nisso? Pois saiba que há uma enorme diferença entre essas duas modalidades, e que uma escolha errada pode custar mais do que um vexame: pode custar o emprego.

A roupa profissional é aquela que não grita: ela não chama a atenção pela ousadia das cores, pelo pouco comprimento da saia, pela profundidade do decote. O que está em jogo durante o horário de trabalho é a sua cabeça, as suas ideias, o seu desempenho, a sua eficiência — e não o seu corpinho escultural.

Excessos e roupas muito fashion não pegam bem. Uma adesão imediata a todas as últimas novidades da moda pode dar a impressão de futilidade e dispersão, o que não ajuda em nada uma carreira bem-sucedida (a menos que você seja do mundo da moda ou do meio artístico). Em compensação, uma roupa muito conservadora pode sinalizar que você é uma pessoa desatualizada, característica desfavorável para o seu desempenho profissional.

A formal. A informal

A palavra-chave para o guarda-roupa do trabalho é *adequação*. Salvo aquelas profissões uniformizadas, como médicos, dentistas, aeromoças, metalúrgicos, as demais podem ser incluídas em dois grandes mundos: o das atividades formais, em que o protocolo é mais rígido quanto à aparência, e o das atividades informais, em que se permitem produções mais personalizadas e casuais.

No primeiro caso, imagine executivas de um escritório multinacional, advogadas, profissionais do mercado financeiro, etc. No segundo, redatoras de publicidade, designers gráficas, profissionais da web. As *formais* querem peças-curinga, discretas, mas com charme. As *informais* podem ser um pouco mais ousadas.

SIMPLES FORMALIDADE

Quando o trabalho é formal, não vá pensando que você é o toque de sedução que faltava no meio daqueles ternos azul-marinho sisudos. Esse é o terreno do terninho e do tailleur; o que não significa o terreno do "uniforme" ou do fora de moda: ambos podem e devem ser permanentemente atualizados com as variações da moda – assim como seu pretinho básico.

dica definitiva

Maneire nos tons pastel da sua roupa de trabalho: em excesso, infantilizam e dão ar de fragilidade.

Roupas de trabalho devem ser bem cortadas, cômodas, de tecidos tecnológicos que não amassam e com fibras elásticas, como o stretch, para sua comodidade. Assim, você nem passa o dia preocupada com elas nem termina o expediente parecendo uma persiana.

Aposte em

- Terninho básico: não há necessidade de que seja igualzinho ao do seu colega; para ficar bem feminina, capriche nos acessórios.
- Terninhos e tailleurs de tecidos de cores e pesos diferentes – por exemplo, vale calça ou saia lisa + paletó risca de giz.
- Vestidos descomplicados, sem muitos decotes, amarrações e babados.
- Cardigãs, coletes, jaquetas, blazers – dão ar de competência e credibilidade.
- Camisas e blusas para dar cor e graça aos tailleurs e terninhos.
- Malhas avulsas para enfrentar o ar-condicionado.
- Twin-sets: são ótimos curingas e funcionam também nas ocasiões informais; mas fuja dos modelos larguinhos e sem forma – até os básicos, hoje em dia, seguem alguma tendência de moda.
- Bijuterias, só de ótima qualidade.
- Relógio poderoso.
- Sapatos cômodos, mas de design interessante.
- Sandálias mais fechadas e pezinhos sempre bem arrumados.
- Bolsa de cor neutra, evitando a troca diária.
- Sapatos e bolsas interessantes e de bom desenho: eles dão modernidade para o básico; não precisa fazer "conjuntinho", combinando a mesma cor e textura – ao contrário, procure variar em formatos, cores e materiais.
- Óculos escuros bem modernos, para acompanhar suas roupas clássicas.

O **casual friday** *não é o dia de relaxamento total nem de aparecer vestida com a roupa de quem vai direto para a balada.*

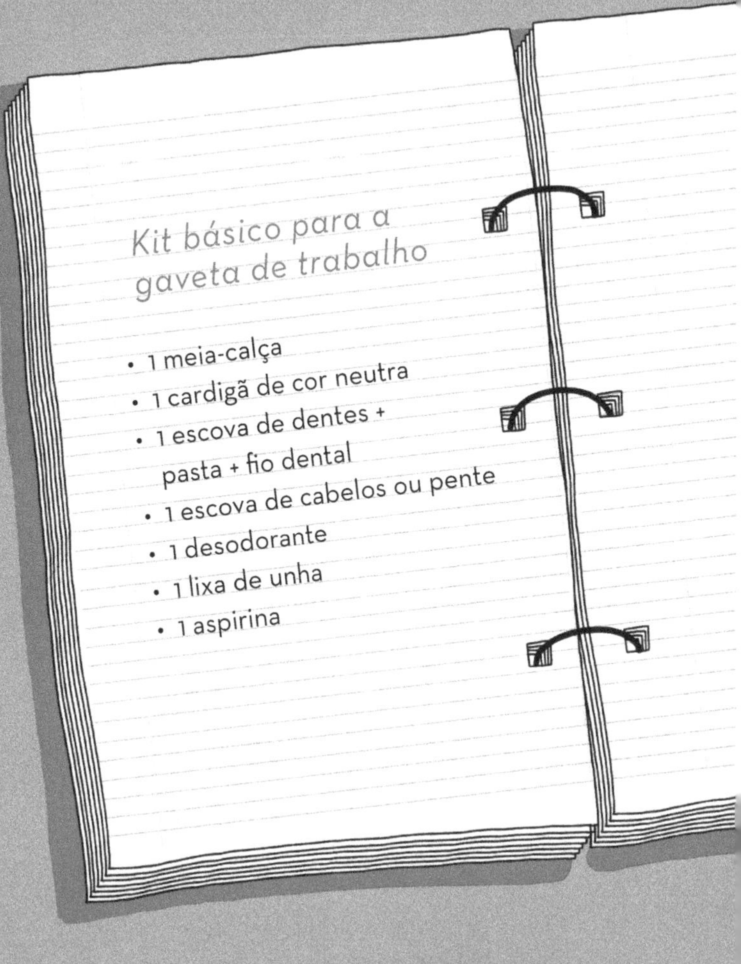

Evite

- Barriga de fora.
- Decotes e fendas exuberantes.
- Roupas muito curtas.
- Jeans (quando a empresa admite, serão sempre os escuros: azuis ou pretos, sem enfeites ou lavagens muito fashion).
- Estampas berrantes.
- Saltos altíssimos.
- Bijuterias em excesso.
- Penteados complicados.
- Unhas compridas.
- Maquiagem de palco.
- Perfumes fortes.
- Transparências e tudo o que mostre a lingerie ou que se pareça com ela: tecidos rendados, alças de silicone, regatinhas molengas...

mito ou realidade

Quanto mais sexy, maior a promoção!
Nada mais fora do lugar que roupas provocantes no ambiente de trabalho. Se essa é a escalada para um cargo melhor: tudo errado. Mude de empresa.

pode? não pode?

Roupas de couro?
Pode, desde que não sejam justas, cravejadas de tachas e amarrações fetichistas.

Sapatilhas ou sapatos baixos?
Há modelos extremamente apropriados e que não chocam a formalidade do mundo corporativo – mocassins, brogues e até mesmo sapatilhas mais fechadas que não lembrem as de balé.

Bermudas?
De vez em quando, a moda coloca em evidência bermudas comportadas, de alfaiataria. Pois saiba que nem essas são bem-vindas num escritório formal. Eu detestaria ter uma advogada de bermuda entrando pela minha sala...

Minissaia?
Não é hora de minissaia nem de saião comprido – em geral, uma exigência da moda. Deixe esses comprimentos extremos para a vida social. O comprimento da saia no ambiente formal é na altura dos joelhos (um pouco acima ou abaixo).

Que bijuterias usar no ambiente profissional?
Escolha as bem desenhadas, de tamanho interessante, mas que não cheguem a deixar as pessoas zonzas só de vê-las! E deixe de lado todas as que fazem barulho. Nada mais irritante que o chacoalhar de pulseiras ou colares durante as reuniões.

O que é "muito decotado" para o ambiente profissional?
Tudo que faça o boy não sair da frente da sua mesa.

MENOS FORMALIDADE

Não é porque você trabalha numa agência de propaganda, numa produtora de vídeo ou num estúdio de computação gráfica que precisa inventar uma produção "genial" a cada dia. Informal não quer dizer qualquer nota.

Evite

- Roupas para a prática de esportes, como calças de moletom e jogging.
- Peças com referências muito étnicas: caftã, jaqueta ou saia de camurça franjada, vestidos indianos, etc.
- Peças de brechó em excesso, com ares de fantasia.
- Look "balada".
- Saias curtas, minissaias e shorts.
- Calças compridas tão justas ou transparentes que revelem a calcinha.
- Jardineiras e macacões esportivos.
- Cavas, fendas exuberantes, blusas ou vestidos sem costas.
- Decotes: tomara que caia, alcinhas finas, etc.
- Transparências e qualquer peça que mostre a lingerie ou se pareça com ela.
- Barriga, cofrinho ou lombinho de fora - especialmente ao sentar-se (faça o teste em casa: sente-se e olhe no espelho).
- Sandálias que deixem os pés muito à mostra, rasteirinhas, que fazem plec-plec, com tiras subindo pelas pernas e qualquer versão que se pareça com chinelos - mesmo que seja coberta de cristais.
- Jeans muito detonados.

A primeira entrevista

É sua primeira entrevista para disputar uma vaga em uma empresa. Você tem alguns minutos para causar uma boa e definitiva impressão. Não desperdice essa oportunidade acreditando que só o currículo pesa na hora de ser contratada. Se fosse assim, bastava mandá-lo pelo correio. Sua *expertise* é fundamental, porém a sua aparência é que vai confirmá-la, mostrando que você está de acordo com as expectativas do cargo e do tipo de atividade que pretende exercer. Vá vestida com a roupa certa, pois será mais fácil para o seu entrevistador "vê-la" no posto perfeitamente ajustada ao ambiente.

comportamento

Pontos a favor:

- Mostre sua personalidade de forma discreta, sem grandes arroubos, como um tom de voz exageradamente alto ou muitas risadas para parecer à vontade.
- Se for fumante, certifique-se de que nada revele esse hábito (cheiro na roupa, no cabelo, hálito, etc.).
- Use uma maquiagem leve, que ajude a ressaltar seus pontos fortes – mostra que você se preparou para a ocasião.

Coisas que eliminam você da disputa:

- Chegar atrasada.
- Inventar que fala inglês ou que tem experiência em uma área que jamais exerceu.
- Citar pessoas importantes ou celebridades para mostrar que é bem relacionada.
- Falar mal do emprego anterior ou contar detalhes da outra empresa.

Primeira impressão

No momento de escolher o look, ponha-se no papel de quem já está trabalhando na empresa para que o entrevistador consiga enxergá-la exercendo o cargo em disputa.

Para uma secretária, por exemplo, um terninho preto bem cortado e atualizado é mais que adequado. Já para uma estagiária de moda seria uma péssima escolha, pois, apesar de elegante, passa um formalismo que o segmento não requer.

Agora, se você nunca usou um terninho preto na sua vida, detesta a ideia de vestir tailleur e está disputando a vaga numa corporação formal, então está procurando o emprego na empresa errada. Reflita.

pode? não pode?

Numa entrevista de emprego, devo assumir minha homossexualidade?

Se ninguém perguntou, não há nenhuma razão para você entrar em assuntos pessoais – sejam eles quais forem. Aliás, durante a entrevista, atenha-se ao que o entrevistador quer saber.

Também não precisa ficar muda. Tome a iniciativa para levantar questões sempre relacionadas ao trabalho.

dica definitiva

A ansiedade pode provocar, entre outras coisas, um suor indesejado. Pense nisso e escolha uma blusa de malha e escura – é um santo recurso!

Acessórios

Um lenço bem amarrado, um cinto especial e a bolsa certa podem transformar uma roupa neutra num acontecimento de moda. Em compensação, não há roupa bonita que resista a um mau acessório...

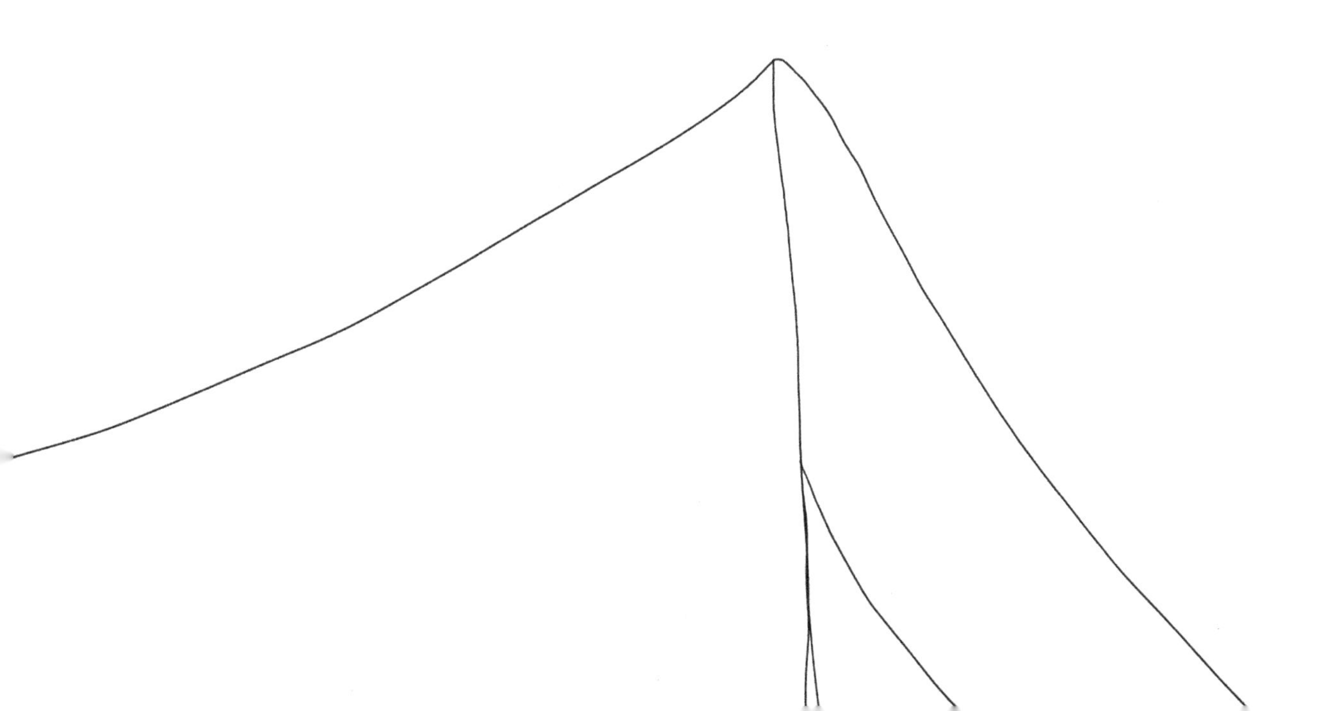

Chegou a hora de dar o *acabamento final* à roupa, escolhendo os acessórios certos, como quem faz a pontuação de um texto. Dê sentido ao traje, personalize-o.

O acessório *mal escolhido* coloca em risco toda a aparência. Se você veste um lindo tailleur branco e usa-o com uma sapatilha preta de mau formato e uma bolsa marrom esportiva, acabou com o chic do visual...

Se o acessório é o que faz a pontuação da roupa, escolha o tom que mais combine com ela, com o seu estilo e com a ocasião. Há horas em que o excesso é bem-vindo, assim como num texto que pede vários pontos de exclamação. Em outras, basta um detalhe para resolver o sentido da roupa, como a vírgula bem colocada.

Você pode usar bolsas, cintos, meias e sapatos de *ótimas marcas*, ou acessórios descartáveis, mas divertidos — como os de plástico ou borracha —, usar joias bonitas ou bijuterias, de forma natural, pertinente, e sem ostentação. Com delicadeza, humor e *requinte*. Acessórios são uma mão na roda para completar o seu guarda-roupa.

comportamento

Peruas que se levam a sério

São o sintoma de uma doença: o exibicionismo financeiro. O nome "perua" é dado a uma pessoa que tem necessidade de se apresentar com o maior número de enfeites possível, com a única finalidade de mostrar que tem poder e dinheiro. Ela é uma vitrine viva das marcas mais conhecidas, mais caras e mais visíveis. Sua segurança sustenta-se na manifestação explícita da riqueza. Tire o ouro, as grifes, os relógios, os carros de uma delas, e você terá diante de si um ser frágil, sem ação nem identidade. Não é bonito, não é chic, não é elegante ser perua. É apenas um tanto risível, excessivo e vagamente constrangedor.

Peruas que não se levam a sério
São mulheres que gostam de se enfeitar e fazem disso um estilo. Faz parte das possibilidades desse look a mistura de peças caras com baratas, falsas com verdadeiras. O que elas querem é chamar a atenção, sendo sexy e engraçadas. E costumam ser. Mas a graça não se apoia no valor de roupas e acessórios, e sim no efeito provocado.

Sapatos, cintos, bolsas

Se você está dando os primeiros passos no universo dos acessórios, a regra mais simples e fácil é investir na mesma família de cores dentro de um único estilo – *casual* ou *formal* –, conforme pede a ocasião.

Em geral, a tentação pelo conjunto de sapatos, bolsa e cinto da mesma cor e matéria-prima torna-se irresistível. De fato, a opção pelo "conjuntinho" deixa a maioria segura. Porém, saiba que o resultado é um pouco sem graça.

Tente, então, movimentar o look, usando cores semelhantes, mas em diferentes texturas. *Sem desafinar*. Por exemplo: uma sandália de couro cru e uma bolsa de palha.

Aos poucos, você ganha confiança e já começa a se arriscar com uma roupa preta, sapatos pretos e uma bolsa vermelha – até chegar o momento em que se sentirá craque a ponto de fazer combinações inesperadas, desafiando a rigidez do preto total com um sapato ou um cinto branco.

Boas combinações

ACESSÓRIOS PARA ROUPA BRANCA

- Branco + crus e terrosos: sempre dá certo.
- Branco com metalizados: o resultado é perfeito quando estão na moda.
- Branco com texturas de cobra, crocodilo, puxando para o cinza e o bege: outro clássico.
- Branco com cores: depende da moda do momento.
- Branco com preto: funciona, mas pode ficar pesado.
- Branco com branco: de vez em quando, a moda leva você a entrar nesse território de médicos e profissionais da saúde; depois passa.

ACESSÓRIOS PARA ROUPA PASTEL

Evite

- O look sorvete, com roupas e acessórios em tom pastel – o resultado é sempre infantil; experimente o preto.

dica definitiva

Bolsa, cinto e sapatos de verniz pesam no look total. Em geral, um único elemento brilhante é mais do que suficiente.

A menos que a moda ressuscite (e ela comete essa brincadeira de vez em quando), o escarpim branco continua a ser um sapato destinado apenas a noivas, damas de honra, debutantes ou formandas.

ACESSÓRIOS PARA ROUPA VERMELHA

Vermelho e preto tornaram-se uma dupla indissociável em matéria de combinação de cores – quase uma *condenação*. Mas, ao contrário do que se imagina, pode levar a um resultado convencional.

Aposte em

- Roupas vermelhas com acessórios vermelhos, que esquentam o look.
- Vermelho + metalizados.
- Vermelho + acessórios em tom cru e bege; funciona, mas não entusiasma.
- Vermelho combina com cores inesperadas, como roxo, verde, turquesa.
- Vermelho + texturas variadas: por exemplo, roupa de tecido liso vermelho + acessórios vermelhos de couro de cobra, onça, croco.

Evite

- Combinação de vermelho com acessórios brancos; essa é de amargar, hein?

MISTURAS FESTIVAS

Forrar bolsa e sapato do mesmo tecido e cor do traje de festa ou casamento é um conceito de elegância dos anos 1950 que pode voltar a qualquer momento. Mas, quase sempre, a graça está nas misturas.

Aposte em

- Sapatos metalizados, bordados com strass, com pedras coloridas, rendados, com plumas.
- Lei da compensação, ou seja, se o sapato for o elemento mais chamativo, vá com uma bolsa mais lisa, ou vice-versa – sem esquecer que bolsa de festa é pequena.

pode? não pode?

Posso usar sapato estilo masculino, de amarrar, com saia?

Oxford é o nome dado a esse modelo com cadarço, muitas vezes com solado de crepe ou de borracha. Entretanto, há muito deixou de ser exclusividade dos homens e da companhia de calças compridas. Pode usar com saia, com vestido, sem meias ou com meias pretas ou coloridas.

Mules são muito confortáveis. Posso usa-los com meias?

Só se você quiser aumentar a conta do seu ortopedista. O problema não é estético, é de segurança! Tombo na certa!

Posso usar sapatilhas com vestido de festa à noite, em casamentos, coquetéis e jantares formais?

Pode, embora o efeito sexy do salto alto vá por água abaixo. Atualmente, existem modelos em tecidos, como veludo e cetim, e bordados com lantejoulas e cristais que fazem bonito à noite e resolvem o problema de quem é muito alta ou tem alguma contraindicação para uso do salto. Por conta do solado retilíneo, a sapatilha também pode causar desconforto. Resolva o problema acrescentando uma palmilha acolchoada.

Plataformas e anabelas entram em qualquer lugar?

Normalmente, os calçados de plataforma com revestimento de madeira, corda, cortiça, etc. são mais esportivos e combinam com jeans, bermudas, vestidos de algodão. Agora, para que plataformas e anabelas acompanhem roupas sociais, teriam de ser revestidas de couros metalizados, de brilhos ou tecidos mais importantes.

Pernas grossas aparentam ser ainda mais grossas com sapatilhas de bico redondo, especialmente as do tipo boneca. Escolha as que têm bico pontudo.

dica definitiva

Sapatos de bico arredondado ou peep toe (recortados na frente, deixando a ponta dos dedos para fora) diminuem os pés. Já os de bico pontudo aumentam. Do mesmo jeito, sandálias que deixam os dedos de fora e os pés mais à mostra os aumentam. As mais fechadas os diminuem.

Saltos retos aumentam os pés. Saltos curvados para dentro os diminuem.

mito **ou** realidade

Todos os homens para quem perguntei odeiam *plataformas*; e quase todas as mulheres adoram. De botas com plataformas, então, os homens têm horror; associam imediatamente à brutalidade e à falta de feminilidade. Já as mulheres acham o máximo porque dão um visual impactante de moda com a vantagem de deixá-las mais altas de modo confortável. De fato, plataformas levantam a gente do chão sem o sacrifício que os saltos altos impõem à postura e aos pés femininos. O salto *anabela*, seu parente distante, também. Mas esse é um pouco menos cômodo porque, apesar da aparência de solado compacto, tem a curvatura de um salto normal. De qualquer modo, ambos dão um visual pesado para os pés e não são a melhor escolha para as mulheres de pernas ou canelas finas.

comportamento

De salto alto

Nada mais triunfal do que uma grande entrada com o salto mais alto da festa. A ideia é ficar bonita e elegante e não virar abóbora antes da hora... e ter de se retirar cedo, contorcendo-se de dor no pé. Não vire abóbora antes da hora:

- Álcool e saltos não se misturam. Qualquer cambaleada ou passo em falso vai mostrar a todos que você bebeu demais.
- Paralelepípedo e saltos não se misturam. Qualquer cambaleada ou passo em falso vai parecer que você bebeu demais...
- Ao ultrapassar o perímetro urbano, diminua a altura do salto; saltos altos não combinam com terra, grama, pedregulho, areia.
- Se os seus pés doem, pode ir embora. Acabou a festa. Não tem bebida ou conversa que faça você pensar em outra coisa a não ser num belo chinelo.

SANDÁLIAS

Para a alegria de quem têm fetiche por pés: as sandálias. Mas a nudez dos pés não acontece sem certas precauções:

- Sandálias de tirinhas finas, deixando o pé quase inteiramente à mostra, foram feitas para pés bem tratados, magros e mais delicados. Do contrário, um dos perigos é ficar com o "mingo" caindo para fora da sola.
- Pés muito altos e largos ficam melhor com sandálias de tiras largas e mais fechadas – sobretudo nas laterais.
- Sandálias sem tira atrás, em geral, combinam com o dia e com situações menos formais.
- Sandálias de plástico são uma opção válida e moderna. Quando estão em alta, desfilam inclusive à noite.
- Sandálias de tirinhas que sobem pelas pernas são proibidas para quem tem canelas grossas.

TAMANCOS HOLANDESES (CLOGS)

Aposte em

- Looks esportivos para acompanhar o espírito utilitário da sua origem.

Evite

- Usar com meias, para o pé não escorregar.
- Andar em rampas: é um desafio!

comportamento

Esqueça a possibilidade de fazer uma entrada silenciosa com tamancos, mules, babuches e outras versões de sandálias sem tiras atrás – com ou sem salto. No trabalho, o plec-plec diário desses calçados pode levar os colegas à loucura...

MAIS SOBRE BOLSAS...

A partir dos anos 1990, as bolsas passaram a ser um acessório supervisado na moda: ganharam nomes de celebridades e foram cobiçadas como artigo de luxo, coisa que até então era exclusividade de poucas e boas marcas internacionais.

As bolsas diminuem conforme os horários do dia e a formalidade da ocasião. A noite pede bolsas pequenas, como carteiras (clutches) e bolsinhas de mão. O dia permite bolsas maiores, à tiracolo, mochilas e até sacolas gigantes.

comportamento

Mochilas: com a popularização dos computadores portáteis, as mochilas passaram a ser vistas até nas costas de homens de terno. No transporte coletivo, em elevadores, salas de espera e outros locais públicos e cheios de gente, devem ser apoiadas no chão ou agarradinhas bem na frente do corpo para não empurrar, não bater e não atrapalhar as pessoas.

Bolsonas: mulheres com bolsas enormes penduradas nos ombros também não podem ficar dando bolsadas em quem estiver por perto, enquanto conversam ou se movimentam por lojas e shoppings. Tenham dó...

MEIAS

Meias sempre foram um problema para as mulheres. Antes, porque não sabiam como combinar as cores, e, com o tempo, porque não sabem quando devem ou não usá-las!

Quando lancei a primeira edição do *Chic*, em 1996, por exemplo, não era muito usual usar sandálias com meias, e recebi muitas perguntas sobre o assunto ao aparecer na capa do livro com elas. Logo em seguida, a Prada fez uma linda coleção de inverno em que as modelos usavam meias grossas e coloridas com sandálias pesadas e a moda se popularizou.

Mais adiante, as transparentes foram postas de lado pela moda. De fato, é mais jovem e mais moderno *não* usar meias. Mas, de novo, o que importa não é só o que está na moda, mas o que mais combina com seu estilo, seu corpo, sua idade – e sua comodidade.

Se suas pernas não estão bem depiladas, estão muito brancas, têm manchinhas aparentes, ou, ainda, se o dia está gelado, nada como uma boa meia para esquentar, definir um contorno ou conter uma gordurinha do joelho.

Conclusão: se você não tem mais 20 anos nem pernas perfeitas, pode tranquilamente usar meias com seus sapatos ou sandálias. Meias invisíveis, de boa qualidade, são como a base e o pó da maquiagem para o rosto. Dão acabamento.

Já que as meias acabaram entrando no turbilhão fashion e vários preconceitos foram derrubados, vamos dar uma olhada no panorama atual.

MEIAS FINAS E GROSSAS

- Finas (cor da pele, pretas ou fumês): mesmo quando não estão na moda, são exigidas para quem trabalha em profissões muito formais. Conforme-se e use-as...
- Brancas: engordam a perna. Cuidado com elas...
- Grossas pretas: ficam bem e modernas com vestido leve e decotado para a noite, combinam com sapatos brancos e acompanham roupas em tom pastel.
- Grossas coloridas: são um acontecimento de moda. Se você não se sente muito segura, use do mesmo jeito que faria com um suéter colorido: apenas para alegrar roupas de cores neutras.

MEIAS LISAS, ESTAMPADAS E RENDADAS

- Coloridas lisas: combinam melhor com o ambiente de trabalho do que as estampadas.
- Decoradas ou de rendas: pedem roupas bem simples, sem outro detalhe concorrente. Evite usá-las no escritório.
- Estampadas: deixam o look mais divertido. Mas só funcionam em situações informais.
- De bolinhas ou estampas bem miúdas: vistas de longe, podem se confundir com doenças de pele. Olhe bem no espelho para ver se é o caso.
- Soquetes lisas, coloridas ou xadrezes: são exclusivas do look esportivo e jovem. Combinam perfeitamente com moletons, jeans e cáquis em geral. A menos que a moda invente a volta do lurex nos pés...

dica definitiva

Meias grossas coloridas (fio 40 ou 80), se combinadas com o sapato e o resto da roupa, fazendo o look monocromático, alongam a silhueta.

As meias-calças grossas não precisam ser usadas somente com sapatos fechados, mocassins ou botas; elas funcionam muitíssimo bem com meia-pata, abotinados, plataformas e peep toes.

dica definitiva

No inverno, para aquecer melhor, use as meias arrastão com outra meia transparente por baixo.

Coordene as meias arrastão com a roupa como se estivesse misturando estampas. Usadas com critério, são muito bem-vindas:

- Meias arrastão cor da pele vão bem durante o dia e levantam o look – são uma boa alternativa para substituir as tradicionais cor da pele.
- Coloridas, em tons pastel, dão charme a vestidos leves.
- Coloridas escuras, como as bordôs, são fáceis de coordenar com roupas de cores invernais.
- Pretas, do tipo três quartos, usadas com calças compridas, dão um realce para a roupa inteira, ainda que somente o calcanhar e o tornozelo apareçam.
- Pretas, longas, são as emblemáticas: remetem ao uso noturno ou, no caso das modernas, um diurno mais punk; meias arrastão podem ser usadas com sandálias, escarpins, botas, etc.

Ao comprar meias, certifique-se do tipo do fio: brilhante, acetinado ou opaco. Os três são bons, mas veja qual deles você procura.

pode? não pode?

Meias arrastão em plena luz do dia. Não é sexy demais?

Essa ideia do sexy vem da sua origem, ligada às dançarinas de cabarés. Porém, quando voltam à moda, perdem essa característica e deixam de ser só extravagantes – surgem como um acessório interessante que pode mudar o look inteiro, já que acrescenta mais uma textura.

Informe-se sobre como elas virão no próximo inverno, porque sempre inventam uma maneira de aposentar as suas antigas. E preste atenção na maneira de usá-las. Eis aí um item que propicia muitos escorregões...

- Botas brancas, douradas ou prateadas: se você busca um look vinil anos 1960, tudo bem. Caso contrário, podem ser vulgares e difíceis de combinar com qualquer outra coisa.
- Jeans combina com botas básicas, de montaria, do tipo caubói, ou com borzeguins. As finas e muito enfeitadas não costumam ser o par ideal.

dica definitiva

Botas sobre calças: use com um jeans justo. Jeans escuro + bota escura alongam a perna.

Não pare o cano da bota bem em cima da região mais larga da sua perna!

pode? não pode?

Posso usar botas em casamentos ou em ocasiões formais?

Botas de couro e de camurça são calçados de inverno que seguem a linha da informalidade. Você deve evitar seu uso em casamentos, recepções oficiais e em todas as ocasiões em que o convite pedir traje passeio completo ou social.

É claro que há exceções. De tempos em tempos, a moda propõe versões sofisticadas de botas para uso noturno – de cetim, de veludo, com bordados. Aí, sim, você pode compor com roupas para festas. Mas só enquanto a moda permitir. De qualquer modo, não são bem-vindas em casamentos.

Quanto mais baixo o salto da bota, mais esportivo o seu uso. Conforme o salto aumenta, você começa a fazer um uso mais social da bota.

Qual o melhor tipo de bota para as baixinhas: de cano alto, médio ou curto? E o salto?

As baixinhas devem tomar cuidado com as botas em geral, para não correr o risco de achatar ainda mais a silhueta. Sejam as botas altas, médias ou curtas, o ideal é compor um look monocromático, isto é: meias, botas e saias nos mesmos tons, para dar a ilusão de uma figura mais longilínea.

Quanto aos saltos, nem adianta propor os baixos, já que baixinhas não vão usá-los nem mortas. Mas também não há necessidade de exagerar nos finos e altíssimos, que deixam seu pé muito pequeno e comprometem seu equilíbrio.

Eu me sinto sexy e interessante com botas de saltos altos e finos. Estou certa ou corro o risco de ser cafona?

Você está certa: botas de cano e salto altos são do tipo "cheguei". Ninguém coloca pensando em não chamar a atenção, o que não implica cafonice. Cafona seria usar botas desse tipo em ocasiões e horários impróprios. Por exemplo, para ir à missa, ao escritório ou para passar um dia no campo. Agora, saltos do tipo agulha são perigosos para mulheres de silhueta pesada. Dão a impressão de que o salto vai partir a qualquer momento – o que pode muito bem acontecer.

Tenho as pernas muito grossas e panturrilhas salientes. Que botas vestem bem?

As botas de cano alto. Porém, entre elas prefira as retas, que não destacam volumes e contornos. As justas – do tipo que modelam a perna – evidenciam ainda mais a sua batata da perna.

Cano alto, salto alto: com saias curtas, fica chamativo. É um look para ser usado quando a moda pedir e o corpinho e a idade ajudarem! Ideal com saias na altura dos joelhos.

Cano altíssimo, acima do joelho: para as jovens que querem chamar a atenção. Pode ser usado com minissaia, short, meias grossas.

Cano curto, salto baixo: estilo superesportivo. As clássicas usam com calças compridas. As modernas preferem os coturnos, para usar com calças, saias, vestidos leves e até shortinhos.

Cano curto, salto alto (ankle boot): fica melhor em pernas mais finas.

Cano alto, salto baixo: look muito elegante, da linhagem das botas de montaria. Seu uso é sempre mais esportivo: com calças e todos os comprimentos de saias.

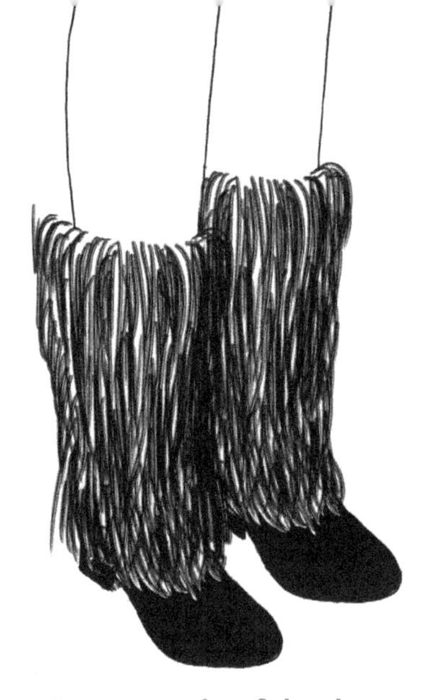

Botas grandes, felpudas, com peles: deliciosas para o lazer. Use por cima de jeans ou com meias grossas e saias. Esqueça nas situações formais e de trabalho.

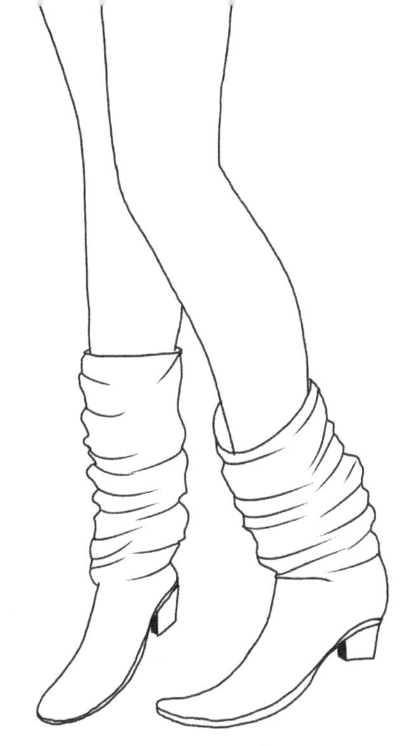

Botas franzidas: dão equilíbrio para quadris pesados, assim como coturnos. Aliás, sapatos delicados sempre fazem a silhueta parecer maior.

Coturnos: têm personalidade própria – são jovens, desafiadores e trazem um gostinho de rebeldia, mesmo depois de terem sido usados pela primeira vez no cenário grunge dos anos 1990. As mais jovens podem optar por roupas estilo rock, punk e grunge, que combinam perfeitamente com o look preto e pesado do calçado. Ou então podem usá-lo para quebrar o romantismo de vestidos florais e fluidos.

Cano médio, salto alto: altas ou com pernas longas podem usar com saias na altura dos joelhos. Baixinhas ou com pernas grossas, com saias num comprimento que cubra o cano da bota.

Galochas: apropriadas para proteger os pés em dias de chuva, às vezes viram item de moda e substituem a bota esportiva.

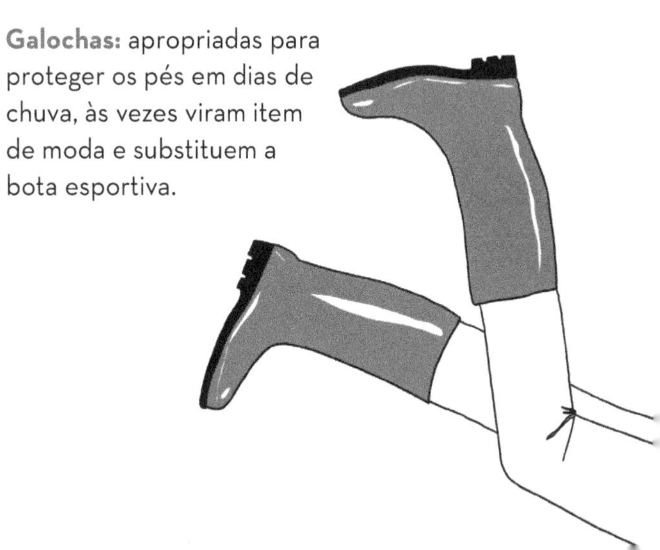

Bijuterias e joias

As joias são um clássico; chegam para ficar. Enquanto as bijuterias, deliciosos enfeites, acompanham com mais facilidade o momento fashion.

- Só uma recepção no Palácio de Buckingham admite o verdadeiro look princesa: conjuntos de gargantilha, brincos, pulseiras, anéis carregados de brilhantes e pedrarias. Para a grande maioria dos mortais fica fora de questão...
- O esquemático "tudo combinando" para joias ou bijuterias fica meio sem graça. Ouro e prata, por exemplo, podem andar juntos.
- Plásticos, miçangas, pérolas de mentira e falsos brilhantes, quando bem usados, podem ser um acompanhamento moderno para suas roupas.

Joias devem ser guardadas na embalagem original ou envoltas em tecidos macios ou de camurça.

Evite

- Brincos de pingentes com golas poderosas, echarpes em pescoços curtos.
- Pérolas tímidas, acessórios miúdos: em geral, envelhecem.

dica definitiva

Cuidado ao passar perfume, spray de cabelo e maquiagem quando estiver com pérolas: são gemas orgânicas, sensíveis a todos os tipos de produtos químicos.

pode? não pode?

Posso usar bijuteria e joia ao mesmo tempo?

Pode, desde que sejam da mesma qualidade e que os estilos combinem. Por exemplo: você pode estar com um brinco de ouro e usar uma pulseira grossa de madeira. O que não pode é colocar uma bijuteria para tentar passar por verdadeira.

Lenços, bandanas, xales...

Você se lembra do turbante? Já foi um *must* na década de 1930. E o lenço de cabeça amarrado à la Bardot dos anos 1960?

Não precisa ir longe. Tempos atrás, xales palestinos foram vendidos até em camelôs! Pois saiba que esses modismos voltam a qualquer momento. Até no tornozelo lencinhos já foram vistos... Por isso, não há uma maneira certa ou errada de usar seu lenço, bandana ou xale. O que aparece é sempre um jeito mais atual de amarrá-los no pescoço, na cintura, nos cabelos, de usá-los como bolsa ou como top. Guarde suas preciosidades no armário (para um dia voltar ao batente) e respeite o vaivém da moda.

pode? não pode?

Admiro quem sabe usar xales, especialmente com um "pretinho" básico. Que tipos devo ter no guarda-roupa? Valem para todas as ocasiões?

Xales são uma mão na roda quando o desafio é variar uma roupa. Enfeitam não só um "pretinho" básico como também vestidos, paletós e malhas coloridos ou estampados. Protegem do ar-condicionado, escondem um decote exagerado em uma cerimônia religiosa e disfarçam troncos pesados, gordurinhas localizadas e bustos volumosos. No inverno, substituem muito bem casacos ou paletós. Podem ser coloridos, em variadas proporções. E, no verão, os transparentes são um verdadeiro curinga. Então, monte um guarda-roupa básico de xales; a moda passa, mas eles sobrevivem:

- Coloridos, lisos – nas suas cores preferidas.
- Pretos (um de lã ou pashmina, outro de seda).
- Estampados (bolinhas, flores, elementos geométricos, etc.) sobre fundo preto e sobre fundo colorido.

Como dobrar lenços

Simples: começando pela frente, envolva as pontas ao redor do pescoço, de modo que se cruzem atrás, e depois jogue para a frente.

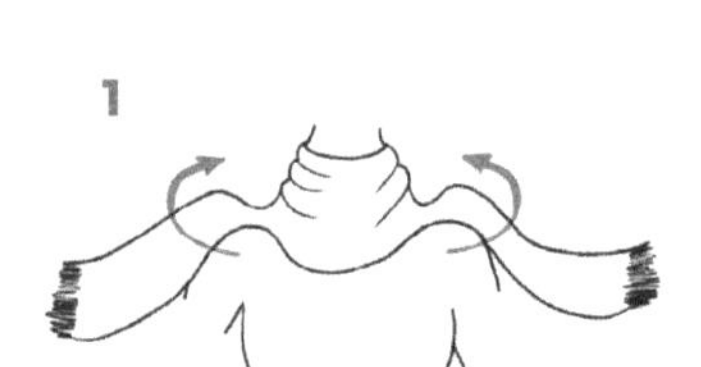

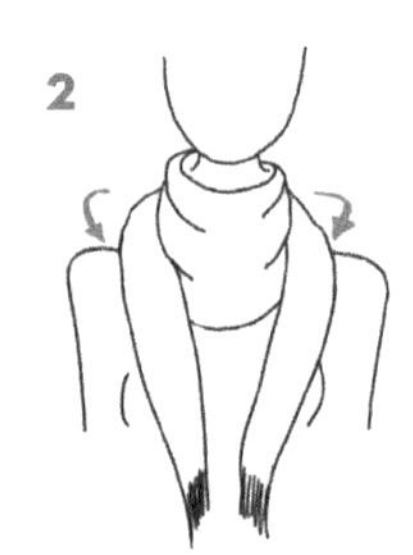

Duplo: dobre um lenço quadrado na diagonal (ou no viés). Começando pela frente, dê duas voltas com o lenço ao redor do pescoço. Volte com as pontas para a frente e dê um nó.

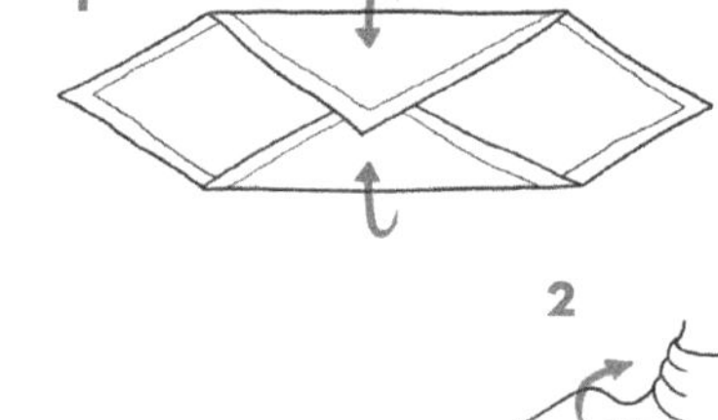

2

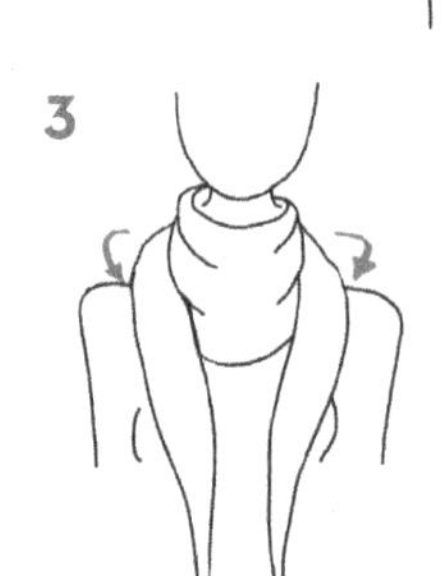

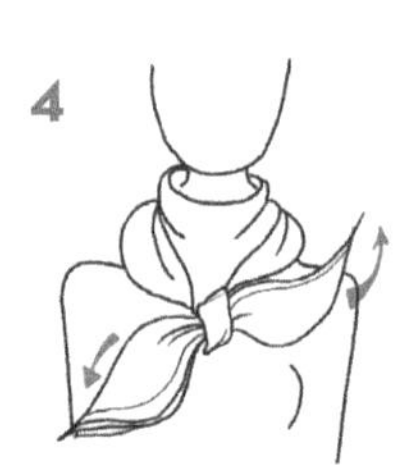

dica definitiva

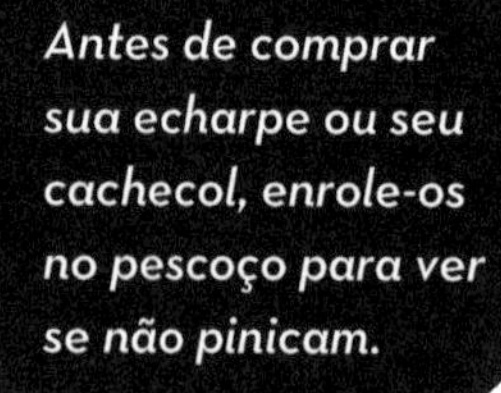

Antes de comprar sua echarpe ou seu cachecol, enrole-os no pescoço para ver se não pinicam.

Caubói chic: dobre um grande lenço quadrado num triângulo e amarre como um babador, com um nó atrás, e jogue as pontas para a frente.

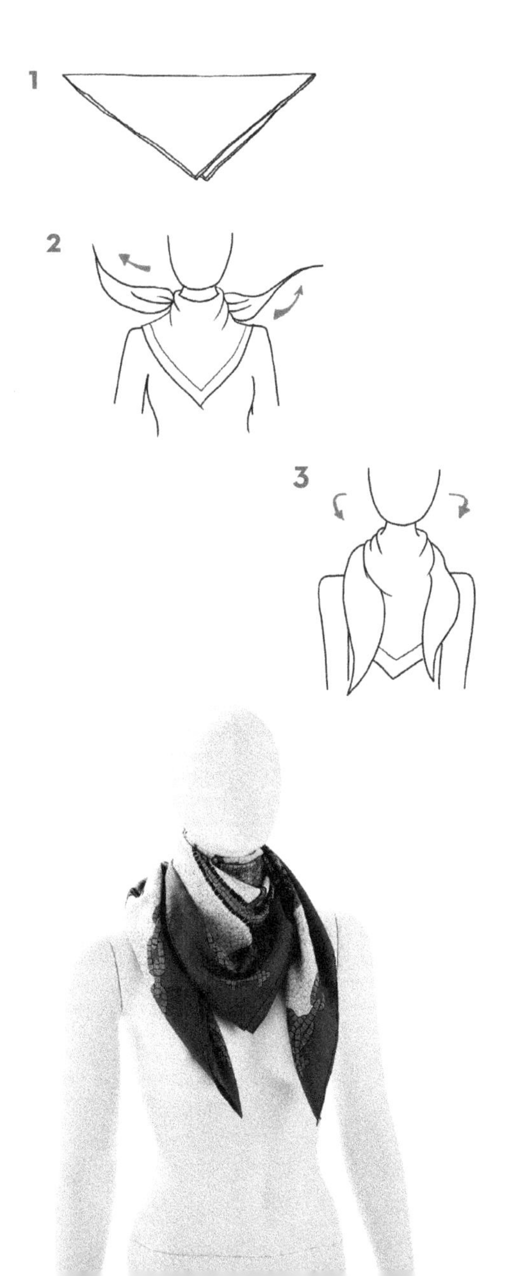

Urbano: dobre um lenço longo em forma de retângulo; depois, dobre-o novamente ao meio. Pegue a ponta dobrada com uma mão, as pontas soltas com a outra, e coloque o lenço atrás do pescoço. Puxe as duas pontas soltas para a frente e passe por dentro da dobra do outro lado.

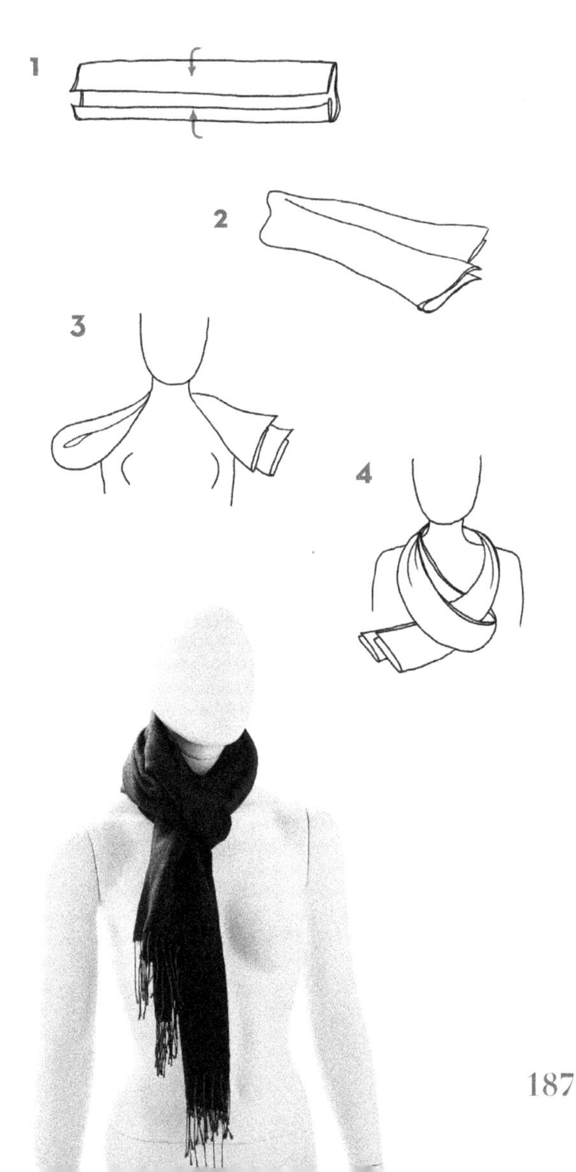

Chapéus

Nos últimos tempos, a mudança de comportamento em relação à proteção solar fez com que a gente se familiarizasse com a presença do chapéu não só na praia, onde é obrigatório, mas também nas cidades, como os panamás, os de pano, os de golfe, etc.

Procure saber, antes de tudo, se você é uma tête-à-chapeau, ou seja, se tem um rosto bom para chapéu o suficiente para fazer dele um companheiro. E fique de olho, pois a cada dia surgem arranjos, veuzinhos e pequenos chapéus sofisticados também para uso noturno.

Evite

- Chapéus em cinemas, teatros, para não atrapalhar os vizinhos; não dê uma de Sarah Jessica Parker e seu chapéu extravagante na pré-estreia do filme *Sex and the City 2*, em Londres.

comportamento

Telefone celular não é acessório. É um utilitário que tem de ser usado como tal. Ou seja: não pode ser invasivo e atrapalhar a vida social nem distrair você de tal maneira que deixe em segundo plano palestras, aulas, desfiles de moda, reuniões de trabalho, etc. Não adianta estar conectada ao que acontece no mundo e perder o que está bem perto do seu nariz.

Óculos

Usar óculos de grau deixou de ser estorvo e símbolo *nerd* para se tornar um acessório a mais na construção do seu estilo pessoal. Os de sol passaram a ser obrigatórios – tanto para proteger os olhos como item fashion do guarda-roupa. São superglamorosos e substituem maquiagens pesadas. Perca o tempo que for necessário para escolher o melhor modelo para seu rosto. Conforto e beleza devem ser procurados com igual peso.

Aposte em

- *Ponte* (ligação entre os dois aros) *do tamanho exato*; esse ajuste evita marcas no nariz e um desconforto permanente.
- *Maçãs do rosto sempre livres*: não importa o formato, as hastes não podem encostar nas maçãs.
- *Sobrancelhas* levemente visíveis (nem totalmente acima da armação nem abaixo dela), para não esconder a expressão do seu rosto; a regra não vale, é claro, para o caso dos oversize (grandões).

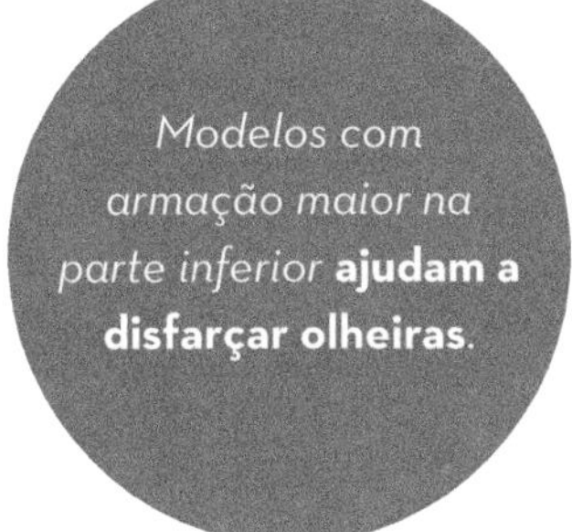

ÓCULOS X FORMATO DE ROSTO

Buscar uma armação harmoniosa com o formato de rosto requer atenção e um bom espelho.

ROSTO ESTREITO: armações menores, lentes arredondadas e elementos decorativos nas laterais suavizam seus traços angulosos.
ROSTO LARGO: pede armações maiores e mais largas. Procure laterais flexíveis que não apertem o rosto.
ROSTO OVAL: combina com a maioria dos modelos; entretanto, é preciso que sejam do mesmo tamanho ou um pouco maiores do que a parte mais larga do seu rosto. Armações com ênfase na parte inferior, como os óculos do tipo gota (aviador) e modelos sem armações são ótimas opções.
ROSTO COMPRIDO: formas ovais ou que de alguma maneira criem linhas horizontais suavizam seus traços angulares. Procure armações com detalhes nas laterais e experimente o formato de borboleta.
ROSTO REDONDO: grandes ovais ou quadrados e retos diminuirão o aspecto "cheinho" do seu rosto. Além disso, procure armações que sejam mais largas do que altas.
ROSTO QUADRADO: curvas e formatos mais horizontais do que verticais disfarçam as linhas muito retas do seu rosto. Evite armações achatadas na base.
NARIZ LONGO: óculos com ponte baixa, hastes enfeitadas e outros formatos que chamem a atenção para as laterais do rosto.
NARIZ LARGO: ponte escura, simples, fina e alta. Prefira modelos em metal ou sem aro, com hastes altas, e ponte com plaquetas ajustáveis no nariz.
OLHOS PRÓXIMOS: ponte clara e hastes ornamentadas ajudam a ampliar o rosto.
OLHOS AFASTADOS: ponte escura.

comportamento

Óculos escuros em ambientes fechados

Usar óculos escuros em ambientes fechados é uma novidade de comportamento que ainda deixa as pessoas em dúvida. Eu, particularmente, não vejo nenhum problema. Lentes escurecidas escondem olheiras, ajudam na hora da foto e ainda são uma boa alternativa para aquele dia em que não queremos carregar no *make*. São mais charmosos que os transparentes, além de rejuvenescer e dar um ar mais misterioso e glamoroso para quem usa. Só ficam descabidos se as lentes forem muito escuras. Porém, não combinam com festas, casamentos, entrevistas para emprego ou situações muito formais, como audiências em fóruns, primeira visita aos sogros ou na hora de passar pela alfândega – enfim, toda situação que exigir olho no olho.

Pouca gente fica mal com um belo par de óculos escuros se eles forem bem escolhidos.

7 Com que roupa?

Quando se tem pela frente um casamento – sobretudo se você é a noiva ou a mãe da noiva –, uma festa de quinze anos, ou se recebeu um convite que pede *tenue de ville*, que você nem sabe o que quer dizer, é normal ficar insegura e entrar em pânico. Uma grande viagem internacional está prevista para breve. Ótimo. Mas o que levar na mala? São muitas as situações que abalam a nossa calma e acabam tirando a graça da festa ou a tranquilidade da viagem. Que tal afastar os fantasmas e decifrar essas situações especiais para poder aproveitá-las com prazer e alegria?

Festas

Nada pior do que errar o tom e ir com a roupa equivocada a uma festa ou cerimônia. Você tem vontade de ficar invisível num canto da sala ou de atirar-se embaixo do tapete. Ou ainda fica torcendo para encontrar outro "óvni" entre os convidados. Essa foi a minha única sorte – se é que é possível enxergar alguma sorte em uma situação dessas – num jantar para o qual fui convidada, anos atrás, durante uma viagem à Itália com um grupo de amigos.

Chegamos de trem a Florença, para passar o fim de semana, e fizemos um lindo passeio até uma casa de campo, cujo anfitrião me convidou para um jantar em homenagem a uma pessoa de nossas relações. Vesti um blazer de lã, uma calça de veludo e um suéter novinho, imaginando ser uma ocasião informal, como o convite que me fora feito algumas horas antes. Lá chegando, a visão aterradora: social absoluto! Ternos escuros, gravatas sisudas, mulheres de joias e longos... O meu constrangimento só diminuiu com a chegada de outra vítima, que fora de jeans. Saímos as duas, é claro, à francesa.

A lição é definitiva. Se você recebe um convite verbal, não titubeie em ligar para o anfitrião e certificar-se do traje para os convidados.

É claro que há muitas ocasiões em que você pode ir de short, de bermuda furada, de chinelos – tanto para beber um chope entre amigos como tomar banho de piscina na casa de uma amiga.

Mas, se você recebe um convite *impresso*, isso já mostra um grau de formalidade diferente do convite telefônico. O jeito como o anfitrião quer vê-la vestida está nos termos indicados, e você tem tempo para se preparar de acordo.

Vamos olhar esses convites e ver como são, em geral, as especificações:

Traje esporte

É o mais simples e informal. Porém, isso não quer dizer qualquer nota. Não confunda com a ida ao clube para praticar esporte ou com o almoço de família na casa do cunhado, que não justificariam um convite por escrito. Por isso, nada de shorts e bermudas com chinelos.

TIPO DE EVENTO: almoços, exposições, churrascos, batizados, festas de crianças.
O TOM DA ROUPA: é hora do guarda-roupa casual. Saia ou calça + camisetas, tops, suéteres coloridos; terninhos esportivos; vestidos leves; bermudas de alfaiataria.
TECIDOS: crepes, algodões, linhos, tecidos com stretch, no verão; veludos, malhas, camurças e couros, no inverno.
ACESSÓRIOS: esportivos, como sapatilhas, botas, sandálias baixas; bolsa maior.

PARA OS HOMENS

O TOM DA ROUPA: é hora do guarda-roupa casual: calças de brim ou de gabardine cáqui ou jeans, com camisas esportivas ou suéteres, camisas polo ou camisetas. No inverno, jaqueta ou parca de couro, camurça ou veludo cotelê.
SAPATOS: os esportivos, como mocassim, sapatênis e tênis (menos no batizado). No inverno, calçados abotinados de camurça.

Traje passeio, esporte fino ou tenue de ville

Um pouco de formalidade e uma produção cuidada é o que pedem esses nomes. É hora de uma roupa mais caprichada.

TIPO DE EVENTO: almoços, *vernissages*, teatros.
O TOM DA ROUPA: já requer um toque de formalidade. Blusas, túnicas, calças mais caprichadas; vestidos; tailleurs ou terninhos.
TECIDOS: algodões, microfibras, jérseis, no verão; veludos, camurças, malhas, sedas, no inverno.
ACESSÓRIOS: sapatos ou sandálias de salto (sem brilho) e bolsa maior para o dia, ou pequena para a noite. Belas bijuterias.

PARA OS HOMENS

O TOM DA ROUPA: já requer um toque de formalidade.
Se o evento for antes das 18 horas, camisa, calça esportiva cáqui e blazer. Outras opções: terno de cor clara, com ou sem gravata, ou blazer escuro com calça, com ou sem gravata. Se o convite pedir tenue de ville, use gravata – seja de dia ou de noite, mesmo com blazer ou jaqueta; à noite, terno com gravata –, valendo os ternos claros, se for verão.
SAPATOS: sociais; mocassins pretos ou marrons.

Passeio completo ou social

Acabamos de entrar no terreno da formalidade "completa". Toda atenção para não se sentir fora de lugar: um simples detalhe, como um salto de cortiça, pode significar que você não entendeu direito o sentido do evento.

TIPO DE EVENTO: jantares, coquetéis, óperas, casamentos, comemorações oficiais.
O TOM DA ROUPA: formalidade total. É hora de festa fina. O pretinho básico (cocktail dress) está no seu hábitat natural. Vestidos curtos com detalhes de brilho, decotes, fendas e transparências; paletó + saia ou calça de bons tecidos.
TECIDOS: georgettes, chiffons, musselinas, shantungs, rendas.
ACESSÓRIOS: sapatos ou sandálias de saltos altos, meias finas. Xales, echarpes e bijuterias vistosas ou joias. Maquiagem mais nítida.

PARA OS HOMENS

O TOM DA ROUPA: formalidade total. Nenhuma opção a não ser o terno escuro com camisa social e gravata.
SAPATOS: sociais, pretos.

Traje black-tie, tenue de soirée ou rigor

Você vai sair de casa para um acontecimento diferente. Uma noite de gala. Noite fechada, tapete vermelho. Clima de glamour e sedução. Sobretudo de requinte. Resumindo: arrume-se direito, ou seu erro será fatal.

TIPO DE EVENTO: noites de gala, bailes, grandes premiações.
O TOM DA ROUPA: de requinte, sofisticado. É hora dos vestidos de baile longos. Às vezes a moda libera e até favorece os curtos. Decotes, transparências, brilhos, bordados luxuosos.
TECIDOS: preciosos, como brocados, tafetás de seda, shantungs, zibelinas, rendas, georgettes.
ACESSÓRIOS: sapatos ou sandálias de saltos poderosos, meias finíssimas. Estolas, casaquinhos finos, peles, etc. Joias ou bijuterias muito especiais.

dica definitiva

A roupa de gala tem seu toque teatral, mas não a confunda com traje de odalisca ou fantasia. O tubo preto longo, com fenda lateral, é um clássico, acompanhado de uma linda sandália e uma echarpe de musselina preta ou colorida. É chic e arrasador.

PARA OS HOMENS

O TOM DA ROUPA: de requinte, sofisticado. Smoking tradicional. Variações mais modernas – como substituir a camisa branca por uma preta e dispensar a gravata-borboleta – são toleradas hoje em dia. Se o calor for muito forte, e, principalmente, em festas ao ar livre, admite-se o "summer" (o mesmo smoking, com paletó branco). É preciso muita classe para não ser confundido com o garçom.
SAPATOS: lisos de verniz ou pretos de couro, de amarrar.

White tie (gravata-borboleta branca)

É convite para uma ocasião de rigor máximo, como solenidades em palácios com a presença de reis ou chefes de Estado. Os homens, além da gravata-borboleta branca, trajam casaca – o paletó aberto e mais comprido na parte de trás usado quase exclusivamente por músicos de orquestras sinfônicas, pois, até nos casamentos muito solenes, a preferência vem recaindo sobre o meio-fraque. Já as mulheres seguem o mesmo protocolo da roupa de gala black-tie.

pode? não pode?

Posso repetir o mesmo longo preto em festas?
Se você tem um tubo longo preto ou azul-marinho, daqueles que ficam em moda durante décadas, varie os acessórios, ponha cinto de lantejoulas, broche num ombro só, bolsa e sapatos coloridos e continue usando.

Qual a diferença entre black-tie e creative black-tie?
Já deu para perceber que festas a rigor, hoje em dia, podem ser de dois tipos: as formais (posse do presidente da República no Palácio do Itamaraty) e as informais (qualquer festa do mundo da moda e do *show business*), e que, para cada uma delas, há uma maneira diferente e possível de se vestir.

Nas primeiras, quanto maior o rigor, melhor. Nas outras, entra a necessidade de personalizar a roupa ao máximo. É só espiar como as celebridades inventam maneiras de se sobressair do mar de "pinguins" da festa black-tie. É desse modo que novas modas se fazem, perpetuam-se e depois se institucionalizam.

Convites inventivos

TRAJE ESCURO: já vi esse termo circulando em São Paulo e presumi que a intenção era ver todo mundo de passeio completo – isto é, terno e gravata para eles e vestidos formais para elas.

FASHION: invenção recente para atrair os modernos com roupas da moda e outras superproduções.

ALTO-ESPORTE: invenção do Rio Grande do Sul para festas sofisticadas que requerem passeio completo.

CASUAL: roupa esportiva para o dia. Pode jeans, pode tênis.

CREATIVE BLACK-TIE: invenção dos americanos para permitir o smoking com camisa e gravata pretas sem gravata-borboleta e outras criações.

A TOUCH OF... (UM TOQUE DE): o jeitinho que o pessoal do Sul do país encontrou para determinar um tipo específico de cor ou estilo de roupa de festa. *A touch of red* (um toque de vermelho), *a touch of fantasy* (um toque de fantasia), *a touch of sixties* (um toque anos 1960), e assim por diante.

LOUNGE CHIC, BALADA CHIC, VENHA BONITINHA: isso tudo implica uma roupa menos formal, porém “produzida”.

Debutantes

Ela é meio punk, usa *piercing* no nariz, jeans detonados, botinas surradas e tranças rastafári nos cabelos. É bastante independente e cheia de opiniões. Um dia, faz quinze anos. Como num conto de fadas, ela se transforma numa bonequinha frágil vestida de tules e tafetás. Quer ser romântica por um dia e, de quebra, arrasta quinze amigas para figuração. Não vai ser sua primeira valsa, nem a primeira festa, nem o primeiro namorado. Ela já dançou todas, vive voltando para casa de madrugada e nem se lembra mais de com quantos meninos já "ficou". Então qual é a razão de fingir que é uma princesa, pensar em convidar atores de televisão, mudar de roupa quinze vezes e mergulhar no gelo-seco?

É absurdo transformar o aniversário de quinze anos numa *caricatura* do *debut*. Não tenho nada contra essa data ser comemorada, até para marcar o início de uma escalada em direção à maioridade feminina. Só não posso compreender uma mudança de atitude tão radical. Tem alguma coisa que soa falso, que não combina.

Se eu tivesse quinze anos ia preferir uma boa viagem que me apresentasse ao mundo, e não uma falsa apresentação a uma sociedade que já estou cansada de conhecer.

Mas, se você fizer questão absoluta de uma festa, faça uma que combine com sua personalidade e estilo de vida, e não um show que mais pareça um *holliday on ice*...

Muitas festas de debutantes são verdadeiros shows de malabarismos, com direito a túneis de raios laser, gelo-seco, quarenta valsas, desfiles na passarela, presentinhos para todos os convidados. Para completar a sucessão de acontecimentos chatos, convidam um ator de novela — que a debutante nunca viu na frente nem vai ver de novo — para dançar a grande valsa e dar uma de mestre de cerimônia. Ninguém fica à vontade, ninguém se diverte, e, como se não bastasse, custa uma fortuna.

Você quer comemorar seus 15 anos?

- Peça uma viagem. Uma excursão com amigos, ou uma viagem com seus pais — uma espécie de despedida da vida infantil. O mundo está aí, esperando que você o descubra.
- Troque a festa por um superpresente.
- Você insiste em uma festa? Então, faça uma inesquecível, em sua casa ou numa discoteca, com som arrasador, o melhor DJ e uma comida maravilhosa. Roupas de festa, vestido novo, todos os amigos e os parentes que você quiser. A festa é sua, e você convida só quem tiver vontade.
- Uma festa black-tie pode perfeitamente preencher seu desejo de virar princesa sem cair no exagero e no ridículo. Faça o vestido que quiser, combine com suas amigas um traje especial, peça aos garotos para irem de smoking, e está de bom tamanho! Já vai ser uma trabalheira para todo mundo, mas, pelo menos, não é um absurdo de caro ou descabido.
- Convide seu pai para a valsa principal, dance uma com seu irmão ou com seu gato e pronto! Chega de cerimônias. Curta sua festa com a animação que os seus quinze anos merecem!

Aposte em

- Cerimoniais curtos.
- Dress-code que não imponha às amigas gastos exorbitantes a participar da festa; o sonho pode ser seu, mas elas não têm obrigação de acompanhá-lo.

Evite

- Cerimoniais muito longos, como depoimentos de amigas ao vivo, chegada na carruagem, vídeos que não acabam mais e que não interessam a ninguém a não ser aos familiares.
- Modelagens muito justas, decotes e fendas exagerados.
- Festas com cenários cafonas, que parecem saídos de um filme B.

A hora, o local e, atualmente, o tema da festa determinam a roupa. Luau na praia requer um traje bem diferente do baile de máscaras ou da festa do pijama, concorda?

pode? não pode?

Não quero parecer uma Barbie cor-de-rosa no meu baile de debutante. Meu sonho é um vestido preto, de arrasar. Posso?

Realmente, ninguém precisa ir vestida de princesa com sapatinho de cristal no baile de 15 anos.

Até o branco "puro" deixou de ser a cor oficial dos bailes e foi substituído por uma variada gama de cores da moda, incluindo o preto. Isso não quer dizer que você tenha que cair no look mulher fatal! Aposte em vestidos de moda, atualizados, que combinem com seu estilo e com sua geração. O fato é simples: você não tem idade nem experiência para ser uma devoradora de corações.

Vou comemorar meus 15 anos com um baile tradicional. Posso ir de branco e minhas amigas de cores pastel, como antigamente?

Se o seu estilo é conservador, tudo bem ter decidido por um baile branco. Mas não precisa repetir o look do álbum de 15 anos da sua mãe, por mais bonito que ele tenha sido ou porque ela insiste que você o faça. Não há uma moda específica para roupas de baile. Você vai ter que se informar sobre os tecidos e acessórios da estação até encontrar uma versão contemporânea para o seu baile de debutantes. Suas amigas devem acompanhar essa ideia.

Acessórios, cabelo e maquiagem devem seguir a tendência do momento. Senão, você cai de novo na fantasia de época.

Casamentos

É natural que você imagine o seu casamento como um dia muito especial, único e emocionante. Mas não a ponto de lotar a igreja de cinegrafistas, transformar o padre num locutor, fazer sua aparição como uma top model num desfile de moda e, do altar, um palco cheio de figurantes vestidos de festa. Assim, o casamento — como muitos a que tenho assistido — acaba parecendo uma brincadeira, onde o *making-of* se torna mais importante do que o próprio acontecimento.

O casamento é um rito tradicional. E, por mais que tenha se modificado ao longo do tempo, sua sobrevivência entre os diferentes povos e credos só fortalece a ideia da cerimônia original: vestido branco, autoridades religiosas, o dote ou o primeiro empurrão para a vida econômica do casal e a celebração.

Se você optou por se casar numa igreja e de vestido branco, como manda a tradição, por que inventar provocações e bravatas que afrontam o rito? Ninguém obrigou você a casar desse modo. Se decidiu por isso, faça direito. Ou fique só com o casamento civil.

O ritual religioso requer interioridade. Os convidados são testemunhas de uma celebração, e não atores do vídeo ou meros colaboradores para engordar o valor do dote com presentes caros.

Do seu jeito

O dia do seu casamento merece muita comemoração. É esperado que a fantasia romântica dê o tom da festa. Vamos e venhamos que não é a toda hora que uma mulher põe uma grinalda na cabeça, ilumina-se de branco e atravessa um tapete vermelho, ao som de trombeta, com centenas de pessoas esperando de pé, olhando e desejando sorte e felicidade.

Gastos vultosos na cerimônia, embora façam parte da tradição do casamento, nem sempre são oportunos. O *orçamento* deve ir até onde você puder sustentar, sem muitas dificuldades. E, de novo, não seja atropelada pelas imposições exteriores.

Nunca obrigue os convidados a se vestir de um jeito que os deixe "empalhados" em chapéus, vestidos longos e fraques que nunca entraram no guarda-roupa deles. Estenda o critério de harmonia com seu estilo de vida para todos que são chamados a compartilhar com você a grande data.

A mesma advertência vale para a sua aparência: vestido branco, véu e grinalda são suficientes para deixá-la no lugar de honra. Nada de usar um penteado ou uma maquiagem que você nunca experimentou na vida, a ponto de parecer outra pessoa chegando ao altar. O mesmo pode acontecer ao noivo, que cisma em tirar a barba ou o bigode justamente no dia da cerimônia, deixando a futura mulher atônita. Quem será aquele homem de cabelos brilhantes e cara lavada que está esperando no altar?

Caso você opte por uma empresa de assessoria para ajudá-la desde a confecção dos convites até os últimos detalhes da cerimônia, tome cuidado para que o seu casamento não fique impessoal, com um jeito de "pacote prêt-à-porter". Será sempre melhor e mais garantido que você tome boa parte das iniciativas, apoiando-se na empresa apenas para facilitar a execução das tarefas.

Recuse qualquer ideia que não combine com o seu gosto ou estilo de vida!

O vestido da noiva

Ao contrário do que se diz por aí, as noivas não ficam tão atormentadas de dúvidas sobre o vestido de casamento quanto as madrinhas e convidadas. Parece que toda menina tem na cabeça, desde o dia em que nasceu, o modelo do seu vestido de noiva. Ainda assim, aqui vão algumas dicas para as questões mais frequentes das estrelas do altar...

Baixinha

- Vestidos de corte evasê (linha A).
- Frente única ou cava americana alongam a silhueta, ao contrário do tomara que caia.

Tamanho G

- Detalhes de drapeados na diagonal em tecido delicado na cintura favorecem seu tipo.
- Véu longo; o curto chama a atenção para a linha dos ombros e dos braços, onde em geral há mais volume.

dica definitiva

Para noivas que, além de baixinhas, estão acima do peso: buquês pequenos ou apenas uma flor, para não fazer volume na linha da cintura.

Muito busto

- Decotes arredondados ou em V.
- Vestidos em linha A.
- Esqueça o corte abaixo do busto, que só faz saltar o volume.

Grávida

- Vestidos em estilo império e tecidos fluidos, com detalhes de rendas e pedrarias na região do colo, valorizam a parte de cima e não marcam a cintura.

Casamento civil

Como em qualquer cerimônia, o horário do evento é determinante na escolha da roupa. Se a ideia é casar no cartório pela manhã e depois seguir para um almoço, um vestido curto ou longuete são boas opções. As cores podem variar entre o tradicional branco, todos os tons de off-white, um rosa ou verde clarinho, e até mesmo uma estampa leve. Georgette, jérsei e musselina de seda ou de algodão são os tecidos mais recomendados.

Se quiser usar alguma coisa para caracterizar o casamento, coloque uma florzinha natural no cabelo. Para reforçar a ideia, leve um buquê para o restaurante e jogue-o para as amigas.

A regra é simples: se o casamento for apenas no cartório, a roupa deve ser menos estilizada – vale um vestido simples ou mesmo saia + blusa. Deixe brilhos e bordados para a noite. A maquiagem também varia de acordo com a hora do casamento: de dia, um *make* mais leve; à noite, algo mais caprichado.

Aposte em

- Vestidos ou a combinação vestido + paletó; vestido + xale; blusa + saia; saia + top + mantô.
- Tecidos bonitos, como o jérsei e os algodões no verão e lãzinhas leves no inverno.
- Sua cor predileta não precisa ficar restrita a tons de bege e champanhe.

Evite

- Calças compridas: são muito informais, deixe-as para as convidadas.
- Cores escuras, pesadas e tristes.

Casamento à luz do dia

Nesse horário, os trajes não comportam brilhos, brocados, nada que pretenda concorrer com a luminosidade do dia. As modelagens são mais simples, sem drapês, franzidos ou muito volume de roupa. Isso vale para noiva, madrinhas e convidados.

Tecidos como sedas, piquês de algodão, gorgurão, crepes e organzas esvoaçantes são mais apropriados. Véus curtos, flores naturais na grinalda ou véus compridos, desde que sejam leves e não arrastem pelo chão, combinam com as noivas à luz do dia. Já para as demais mulheres, chapéus para proteger do sol – se o casamento for ao ar livre.

pode? não pode?

Meu casamento será de manhã, na fazenda, ao ar livre. Estou pensando em usar um vestido branco com brilhos na mesma cor e um diadema prateado na cabeça. Combina?

Sinto muito, mas não é horário para brilhos. Muito menos para diademas na cabeça. Pense bem: você escolheu a fazenda justamente para criar um cenário florido e campestre para a sua cerimônia. Deixe a luminosidade do dia inundar o ambiente, e não a roupa.

Busque brilhos contidos para o bordado do vestido e para as joias (como pérolas). Valorize ao máximo a combinação de flores naturais para o seu buquê, até encontrar a mais perfeita mistura de tons – experimente os rosados: você nem imagina o efeito que dá! Substitua a tiara prateada por uma de flores do campo.

Num casamento campestre, os vestidos bem vaporosos são permitidos, assim como as estampas floridas. É a ocasião perfeita para o chapéu, protegendo do sol. Na cidade, é diferente: modelagens devem ser mais secas, embora as cores continuem suaves.

Aposte em (verão)

- Tecidos de seda foscos, algodões, tussor, rendas opacas, bordados ingleses e linhos bordados, como os do Nordeste brasileiro: deixam qualquer italiano encantado...
- Chapéus para proteger do sol; pode ser o modelo capeline (de abas largas) de organdi ou palha, os panamás, ou outros em materiais que combinem com o verão, como palha e crinol.

Aposte em (inverno)

- Tecidos como veludos, camurças, tweeds, jérsei de lã, sedas foscas.
- Mangas e golas de pele.
- Xales, pashminas, etc.
- Chapéus de feltro.

O branco é proibido para madrinhas e convidadas. E o preto total não é o look ideal para convidadas num casamento de dia.

Mulheres altas podem perfeitamente usar sapatilhas num casamento, até porque há muitas opções de sapatos baixos sociais preciosos. As baixinhas, ao contrário, não vão a festas de sapatilhas nem que sejam cobertas de ouro...

pode? não pode?

Fui convidada para ser madrinha de um casamento de manhã, num sítio, seguido de churrasco. O que vestir?

Churrasco é sempre um acontecimento informal, portanto a roupa não pode ter nenhuma sofisticação – como sedas brilhantes, cetins, etc. Se o casamento tiver antes uma cerimônia na igreja, prefira saia ou vestido. Do contrário, até mesmo um terninho cai bem para a ocasião. O que não pode é informalidade total: não jeans, não bermudas, não chinelos.

O casamento é num sítio. Salto alto enterra na grama. Então, o que fazer?

Se você não fica bem de sapatos baixos, o que seria o ideal, escolha um com salto de madeira, para disfarçar a cor da terra e ser mais fácil de limpar quando chegar em casa.

mito ou realidade

Para entrar num templo, as mulheres cobriam a cabeça em sinal de respeito. Com o tempo, o costume caiu. Portanto, nem véu para rezar nem chapéus são presenças obrigatórias em missas e casamentos. Os enfeites de cabelo e os pequenos véus ainda fazem uma menção a esse uso tradicional do chapéu, com a vantagem de não atrapalhar a visão dos convidados.

Para homens

O NOIVO

Vivo recebendo perguntas de noivas preocupadas em combinar o terno do seu futuro marido com as flores do buquê, com a decoração da festa ou, pior, com o próprio vestido.

Festa de casamento não é baile de carnaval. Não invente nenhum modelo de príncipe inglês para ele. Nada de spencers brancos, paletós com golas chinesas ou túnicas indianas, nada de roupinha de soldadinho de chumbo, de *bell-boy* (mensageiro de hotel) nem de ternos brancos de primeira comunhão. O dia do casamento é o momento em que um homem assume, perante a sociedade, seu compromisso com a masculinidade e com a vida adulta. Invista em ternos clássicos e espete uma flor natural na lapela dele, tirada do seu buquê.

SUGESTÕES PARA O NOIVO (DE MANHÃ)

- Terno de linho ou gabardine: em tons claros de bege, areia ou pérola.
- Camisa branca.
- Gravata nos tons de azul, do claro ao marinho, ou nos tons de rosa.
- Sapato marrom e meia azul-marinho se a gravata for para o marinho, e bege se for para combinar com os tons de rosa.

Terno branco, cor-de-rosa ou azulzinho? Deixe para o noivo de marzipam em cima do bolo! Jogador de futebol é que tem mania de casar de branco total.

SUGESTÕES PARA O NOIVO (NO FINAL DO DIA)

- Terno tropical do cinza-médio ao chumbo ou marinho.
- Camisa branca.
- Gravata cinza-prata, azul ou de pois miúdo.
- Sapato preto, meia preta.

Os trajes dos padrinhos seguem a etiqueta do noivo: se ele vai de terno, todos devem ir de terno; se vai de meio-fraque, os padrinhos vão de meio--fraque, e assim por diante. Os demais convidados podem estar de terno, se o casamento for formal, e sem gravata, se for informal.

pode? não pode?

Meu noivo pode ir de meio-fraque no nosso casamento às 17 horas?
Até pode. Embora um belo terno azul-marinho fique muito melhor para quem vai entrar ainda sob a luz do dia.

O noivo e os padrinhos podem ir de terno preto se a cerimônia for num sítio, no final da tarde?
Preto é muito urbano e fashion demais para um casamento em sítio. Prefira cinza-chumbo ou marinho.

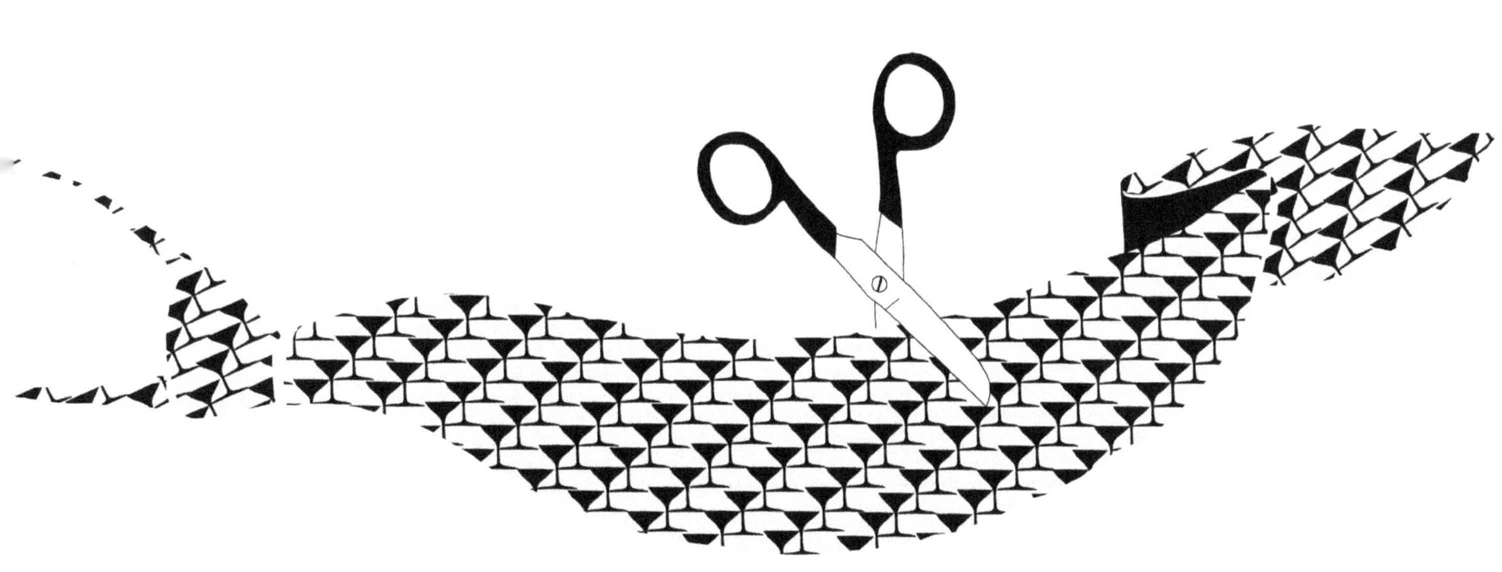

O casamento à noite

Quanto mais tarde, mais formal o casamento, que, em geral, é marcado às 18 ou às 20 horas. Há uma sutil gradação de formalidade entre os dois horários.

A NOIVA

Para definir o vestido da noiva, leve em consideração a moda do momento, que ora valoriza os tecidos macios, ora os mais rígidos, as formas mais secas ou as mais amplas, os vestidos curtos ou os de cauda longa, ou o tipo de decote. Sem falar do jogo das proporções, que vai ajudar você a valorizar os pontos fortes do seu tipo físico.

Num casamento a partir das 18 horas, você terá uma infinidade de opções de modelos de vestidos compridos e de tecidos importantes. Ainda assim, muito enfeite continua a ser bolo de noiva. Procure, então, o equilíbrio entre brilhos e formatos.

Aposte em:

- Vestido bordado + véu liso + buquê menor.
- Vestido liso + véu enfeitado + buquê maior.

Evite

- Pulseiras e anéis.
- Óculos.
- Flores artificiais no buquê.
- Uso de cores.

Vestido longo + véu longo + cauda comprida + buquê grande. O resultado pode ser o máximo de gala ou um grande equívoco de exageros.

VARIAÇÕES DO BRANCO

Dependendo da nobreza do tecido, o branco do vestido pode ficar fosforescente. Quebre um pouco desse aspecto ofuscante com alguns truques:

- Flores naturais e aveludadas no buquê.
- Buquê colorido, com rosas coloridas, por exemplo, pode ficar chic.
- Tons perolados no véu, na meia e no sapato.

pode? não pode?

Já passei dos 30 e vou me casar pela primeira vez. Faço questão de ser uma noiva bem "noiva". Subo ao altar de branco?

Não há o menor problema em casar de branco quando não se é mais uma jovenzinha. Dispense, porém, uma roupa que lembre "contos de fadas" ou que faça apelos muito infantis – como vestidos esvoaçantes, saias e caudas volumosas, laçarotes e mangas bufantes. Prefira um modelo mais reto, com decotes e transparências bem colocados. Afinal, você não está debutando.

Se não quiser o branco, ficam bem os tons off-white (fora do branco), isto é, todos aqueles que quebram a limpidez do branco: gelo, prata, champanhe, bege, manteiga, rosado. Você pode repetir o tom do vestido num véu de renda. O resultado será elegante, muito feminino e chic. Não será um vestido pobre, nem discreto, nem sumidiço. É bem noiva, sim.

VESTIDO DE ALUGUEL

Quando a opção é alugar o vestido de noiva, faça isso três meses antes da data. É o tempo necessário para fazer as provas e adaptações necessárias, até personalizá-lo ao máximo. Normalmente, os modelos-padrão trazem tudo em excesso – saia franzida com brocado, rebordado de lantejoulas para ser usado com tiara de brilhantes, luvas de cetim...

Começar de novo

A procura pela felicidade ao lado de alguém parece não se esgotar com o insucesso do primeiro casamento, e muita gente parte com coragem e entusiasmo para uma segunda ou terceira tentativa. Tudo bem, mas a comemoração desses novos casamentos tem que refletir a passagem do tempo e a maturidade esperada: festa animada, boa música, bolo e bem-casados. O noivo de terno e a noiva de vestido longo, de uma cor clara ou forte, sem ser branco, esvoaçante e nada juvenil.

pode? não pode?

Meu segundo casamento será no cartório, de manhã, seguido de um almoço no restaurante. Qual o melhor look?

A luz do dia não favorece brilhos, maquiagens pesadas, joias poderosas nem modelagens muito elaboradas.

Resolvi celebrar meu segundo casamento em casa, com uma festa. Meus filhos (e os dele) estarão assistindo. Encaro uma de noiva?

Por que não? Se o clima for de grande festa, aproveite para escolher um vestido longo, na cor e no modelo que mais favoreçam seu tipo físico e seu estilo – incluindo as cores fortes, como pink ou turquesa. Só não vá de preto ou branco.

Caso você queira ficar nos tons rosados ou champanhe, é a vez das combinações com acessórios metalizados: dourados ou prateados. Valorize os decotes, jogue com transparências, brilhos e acessórios preciosos. Afinal, você é a estrela da festa. Na cabeça, o arranjo é opcional. Pode trazer brilhos salpicados – de strass, por exemplo.

Aposte em

- Vestidos ou então a combinação: vestido + paletó; vale também saia + blusa caprichada.
- Off-whites, estampados ou a sua cor predileta.
- Arranjos simples, de flores naturais, na cabeça – se você quiser dar o toque "noiva"; se não, basta um cabelo bem penteado.

Evite

- Calças compridas: são muito informais – deixe-as para as convidadas.
- Cores escuras, pesadas e tristes.

Traje de madrinha não é uma roupa de baile. Saias franzidas e modelagens muito volumosas invadem o território da noiva. Combinar com a anfitriã quais as cores e o comprimento das roupas faz parte do protocolo. De novo, importa o tom que a noiva quer imprimir à cerimônia.

Nos casamentos atuais, o longo costuma ser prescindível de manhã, optativo à tarde e mais recomendável à noite. Porém, não há nenhum protocolo que obrigue o uso desse comprimento em casamentos.

Agora, se a turma do altar decidiu ir de longo, lembre-se:

- O longo de casamento não deve ser muito decotado, não deve ter cauda, não deve ter muita roda nem deve ser branco; deixe o branco, a cauda e os brilhos para a noiva: não é hora de competir com ela.

Evite

- Calças compridas, nem que sejam em terninhos preciosos.
- Alcinhas, fendas e decotes pronunciados sem paletós ou xales por cima.
- Roupas muito curtas.
- Saias + blusas, ou chemisiers esportivos.
- Ternos.
- Roupas pretas (só para convidadas).

Mesmo num casamento à noite, solene, em que toda a turma do altar esteja de longo, você, como convidada, vai com esse traje se quiser. Ninguém é obrigada!

dica definitiva

Se o xale é parte do seu look de casamento, enrole-o de um jeito que não deixe você engessada e sem liberdade de movimentos. Assim, poderá permanecer com ele até o final da festa!

pode? não pode?

Madrinhas podem ir de preto?

Na Antiguidade, o preto era uma cor ligada ao luto, e, portanto, às lembranças tristes que não deveriam estar presentes num momento alegre e cheio de esperanças de vida como a cerimônia de casamento. Por isso, as testemunhas nunca usavam preto. Embora tenham passados séculos, quem ainda repete esse ritual está seguindo, de certa forma, a mesma tradição. Não use preto no altar.

Madrinhas podem usar calças compridas no altar?

Não. Contente-se com todas as variações existentes de comprimentos para saias e vestidos.

Noivas e madrinhas precisam permanecer de luvas no altar? E quando tirá-las?

Em festas, as luvas devem ser usadas para entrar e sair dos lugares – e não para permanecer todo o tempo com elas. Mas a cerimônia de casamento acabou introduzindo um protocolo específico:

PARA A NOIVA: entre de luvas; tire no momento de colocar as alianças (obviamente!) e fique sem elas durante os cumprimentos – tanto no altar como fora dele. Recoloque as luvas na saída (é como se fosse um agasalho) e volte a tirá-las logo depois de chegar à festa.

PARA A MADRINHA: em hipótese alguma coloque os anéis sobre as luvas. Tire as luvas para os cumprimentos. Recoloque as luvas na saída da cerimônia e volte a tirá-las logo depois de chegar à festa.

Ninguém deve beber ou comer de luvas - nem com a desculpa de que está só esperando o momento da foto...

SUGESTÕES PARA O NOIVO

Nos casamentos noturnos, os noivos, em geral, estão de terno ou meio--fraque. Raramente se usa o fraque completo – aquele paletó com rabo de pinguim.

A partir das 18 horas, as cores escurecem.

- *Terno padrão único* (paletó + colete) marinho ou cinza-chumbo, de três botões ou jaquetão.
- Gravata escura ou prata.
- Meia preta, sapato preto.
- Cravo branco na lapela.
- *Meio-fraque*: versão *light* do fraque tradicional, é composto de paletó curto do tipo jaquetão ou três botões cinza-chumbo, colete da mesma cor do paletó e calça listrada de preto e cinza.
- Gravata convencional ou plastrão (aquela gravata que parece um lenço).
- Sapato preto e liso.

Padrinhos seguem o estilo de roupa escolhido para o noivo.

CONVIDADAS

A noiva se preocupou pessoalmente com cada detalhe da cerimônia. Passou meses planejando e sonhando com esse dia. Você é convidada a participar desse cerimonial e render-lhe homenagem. Por isso, não vá a um casamento com a mesma roupa de ir ao restaurante. É impossível dar uma "passadinha" no casamento depois do trabalho; seria fazer pouco caso dos noivos. Numa festa como essa, só apareça vestida apropriadamente.

Evite

- Leggings ou fusôs – não importa de que tecidos.
- Roupas de cotton lycra.
- Acessórios marrons.
- Jeans de qualquer tipo.
- Roupas muito esportivas.

Para os homens, o terno é o passaporte. Nada de jeans, tênis nem roupas esportivas. Tampouco smoking!

A cerimônia de casamento

A cerimônia de casamento é uma peça de muitos atos. Anunciada com antecedência, ela pressupõe formalidades até no agradecimento aos convidados.

- O horário e o local estipulados no convite darão o tom da cerimônia – do menos formal ao suntuoso.
- A entrada da noiva é um momento solene por si só. Não há necessidade de reforçá-la com músicas de efeito e muito altas. Não estamos no tapete vermelho de um Oscar.
- Se você optou por convidar damas de honra e pajens para entrar com as alianças, dê preferência aos maiores de cinco anos – assim não correrá o risco de tumultuar a entrada. O traje da menina não precisa acompanhar o da noiva; ao contrário, as damas da corte usavam roupas coloridas. Já os meninos precisam vestir uma roupa apenas condizente com o vestido da daminha; não é obrigatório vesti-los de príncipe ou pajem.
- Músicas: dê preferência às afinadas com o local onde a cerimônia está se realizando.
- A decoração da igreja ou do local da cerimônia comunica o tom da festa: mais colorida se for num bufê, mais iluminada à noite, etc. Flores frescas são um clássico, mas pedem cuidado especial, pois murcham com o calor, com a proximidade de velas, etc.
- Filmar e fotografar o casamento com o máximo de discrição. Sugira aos profissionais que se vistam de acordo e que não interfiram na sequência da celebração.
- Não se esqueça de agradecer aos convidados o presente, mencionando exatamente o que recebeu de cada um, e não fazendo um agradecimento impresso e genérico.

OS NOVOS CONVITES

A composição da família mudou. Então, como ficam os nomes nos convites?

CONVITE TRADICIONAL: à esquerda, o nome do pai da noiva (acima) e o nome da mãe (abaixo); à direita, o nome do pai do noivo (acima) e nome da mãe do noivo (abaixo). Depois, o "Convidam para a cerimônia religiosa do casamento de seus filhos...". O nome da noiva (sem sobrenome) fica à esquerda; o do noivo, à direita. E, abaixo, os dados completos do evento (data, local, horário, etc.).

O NOIVO É VIÚVO, MAIS VELHO, A NOIVA É UMA JOVEM SOLTEIRA: entram apenas os nomes dos pais da noiva, centralizados. Fica assim: Marco e Dora Ferreira, depois: "Convidam para a cerimônia religiosa do casamento de sua filha Ana Lúcia com...", e o nome completo do noivo: André de Souza Campos.

UM DOS NOIVOS É ESTRANGEIRO: o ideal é fazer um convite duplo, para que cada família receba no seu idioma de origem.

NOIVOS MAIS VELHOS E SEGUNDO E TERCEIRO CASAMENTOS: os próprios noivos convidam para a cerimônia.

OS PAIS SÃO SEPARADOS E AMBOS TÊM NOVA FAMÍLIA: se a filha quiser, entra o nome de todos – o pai com sua mulher atual, a mãe com seu marido atual. Fica assim: Cássio Toledo e Maria de Lourdes Santos (cada um com seu sobrenome, pois não são casados oficialmente); Martha e André Mattos (o nome da mãe e do atual marido, ambos com o mesmo sobrenome, porque eles oficializaram a união) "Convidam para...".

OS PAIS SÃO SEPARADOS, MAS SÓ UM DELES VOLTOU A SE CASAR: o convite fica assim: Cássio Toledo (acima) e Martha e André Mattos (abaixo) "Convidam para...".

OS PAIS SÃO SEPARADOS E HÁ MAL-ESTAR ENTRE AS FAMÍLIAS: nesse caso, entra somente o nome dos pais biológicos, respeitando sempre os novos sobrenomes: Cássio Toledo e Martha Mattos.

Esses são os novos arranjos para os convites de casamento, mas, se nenhum desses corresponde à sua situação, resolva-a de acordo com os afetos. Por exemplo, se seu pai ou sua mãe forem ausentes na sua vida, ou mantêm relacionamento muito difícil, você tem, *sim*, a opção de colocar ou não o nome dele(a) no seu convite.

Evidentemente, estamos pensando em situações extremas, pois, por se tratar de uma comunicação pública, é como se, no convite, você estivesse simbolicamente tirando essa pessoa da sua vida. Pense muito antes de tomar a decisão...

A FESTA DE CASAMENTO

Antigamente, ricos e nobres se casavam para aumentar seus patrimônios ou estender suas áreas de poder. Eram verdadeiros pactos econômicos e políticos. Amor não entrava nesse capítulo de jeito nenhum. Por isso, as cerimônias eram festas suntuosas, de caráter público, para que os dois lados exibissem seu prestígio para seus pares e súditos.

Muita coisa mudou desde que o amor entrou na história dos noivos.

Nos últimos tempos, porém, o desejo de originalidade e de imprimir um tom "absolutamente pessoal" para o velho costume está criando inúmeras categorias para as festas de casamentos. Vamos dividir o que temos visto em:

CASAMENTO TRADICIONAL

É uma festa formal em que os pais do noivo convidam familiares e amigos para comemorar a união dos seus filhos. A obrigação de o pai da noiva pagar a festa ficou no passado. Se tiver condições, paga. Se não, pode dividir ou até aceitar que a família do noivo se encarregue do assunto.

A festa pode ser o que o orçamento ou a vontade das famílias quiserem: um pequeno coquetel depois da cerimônia religiosa, um almoço ou um jantar para vinte ou duzentas pessoas. Se você não quiser fazer em casa, bufês são uma opção aceitável. Antes de fechar com algum deles, vá até lá dar uma olhada e ver se é aquilo mesmo o que você está querendo. Olhe a decoração, a iluminação, o tamanho do salão. Escolha pessoalmente as toalhas e explique como quer os arranjos e as flores de mesa. A festa é sua e tem que estar com a sua cara, e não com a cara do bufê ou da sua mãe!

pode? não pode?

Que outra opção de bebida há para oferecer, já que prosecco e champanhe são caros?

Ofereça refrigerantes, sucos de fruta, vinho branco seco gelado ou cerveja. O importante é que a festa seja gostosa e alegre. Ninguém é obrigado a gastar mais do que pode. Ah! Outra opção bonita e nada cara é ponche, ou seja, pedaços de fruta, o suco delas, muito gelo e um pouco de vinho tinto ou branco misturado. Fica ótimo. Sirva em jarras ou num grande aquário de vidro.

Congestionamento a ser evitado: vinte padrinhos de cada lado + pais de noivos + noivos + sacerdotes. Altar ou palco de musical?

CASAMENTO-BALADA

É quando o casamento vira o pretexto para um festão que dura a noite toda e só termina no café da manhã servido com toda a pompa. O vestido da noiva (assim como o das madrinhas e o das convidadas) é decotado e sexy, como um vestido de baile, e a figura mais importante da cerimônia não é o padre, mas o DJ.

Para que os pais e os convidados da família não fiquem encolhidos num cantinho enquanto a noitada dos filhos rola, uma boa ideia é fazer a festa em clubes ou em locais em que a área dos familiares possa ficar mais afastada da pista de dança e da música altíssima.

É muito justo que você festeje com os seus amigos, afinal o casamento é seu. Mas é também uma festa dos pais – que muitas vezes pagaram o evento e se esforçaram para que você chegasse a essa ocasião tão especial. Não é o dia da sua formatura nem sua festa de aniversário!

CASAMENTO-ESPETÁCULO

É a modalidade de casamento que estamos acostumados a ver nas revistas de celebridades. A festa é transformada num show de *merchandising*: noivos com suas roupas assinadas (e o preço delas) ao lado de ilustres convidados – socialites, modelos, políticos e todos os milionários e suas mulheres devidamente etiquetadas, sem falar na descrição detalhada do valor e da safra das garrafas de vinho, do cachê dos artistas que animaram a festa, do custo do bufê e do bolo, e até mesmo a quantia cobrada pelo salão de beleza contratado para o grande dia.

Embora hoje em dia a gente saiba que os noivos escolhem livremente seus pares e que o amor (ainda) faz parte dos casamentos, paira no ar uma sensação incômoda de espetáculo comercial.

CASAMENTO TEMÁTICO *(praias tropicais, luau havaiano, country, bucólico, etc.)*

É o casamento no campo ou na praia, em que os convidados são chamados a se vestir no clima que os noivos desejam para suas lembranças. Por exemplo, na praia, o luau dançante, no meio de tendas, velas e almofadas e com direito a fogos de artifícios, e os convidados de colares havaianos; ou o "tropical", com folhas de bananeira, almofadões de chitão e convidados de branco...

Bem, uma coisa é você estar num lugar bonito e provavelmente cheio de boas lembranças no dia do seu casamento; outra é inventar uma festa num lugar que não tenha nada a ver com sua vida só porque famosos se casaram lá. Não transforme a ocasião num baile à fantasia ou num editorial de revista de moda.

CASAMENTO CUSTOMIZADO

Os noivos decidem cada detalhe da cerimônia, fazendo um mix de rituais religiosos e pagãos. No casamento customizado, você é quem determina a roupa a ser usada, o tipo de cortejo, a música, a decoração da festa, e, em geral, padrinhos e amigos são chamados a participar ativamente da cerimônia, com discursos e bênçãos, substituindo o ritual realizado por sacerdotes.

Por exemplo: a música é celta, o altar, enfeitado com símbolos judaicos e budistas, e os melhores amigos estarão num altar montado num salão de festas, recebendo os noivos e conduzindo o cerimonial.

Essas festas costumam ser emocionantes, porque mostram o empenho dos noivos em cada fase da sua preparação.

comportamento

Para começo de conversa: *presente de casamento não é uma obrigação*. É, acima de tudo, uma lembrança que se dá aos noivos, e o teor depende do grau de afetividade ou de obrigação que se tem para com eles ou com a família. A lista de presentes em lojas especializadas surgiu para facilitar a vida dos convidados e evitar repetição de itens. Pode não ser uma coisa muito elegante, mas é prática. E passou a ser colocada nas próprias lojas ou no *site* dos noivos. Mesmo assim, surgem muitas dúvidas.

- *Se você e seu noivo não querem ganhar presentes para casa* (ou porque estão em segunda boda ou porque têm casa montada): coloquem listas em locais alternativos, como lojas de CDs, de arte e decoração – onde haja objetos do seu interesse.
- *Se você e seu noivo preferem dinheiro para viagem:* saibam que não há jeito elegante de pedir dinheiro. Mostrem criatividade e convertam os custos da sua viagem de turismo em cotas simbólicas, que permitam às pessoas presentear o equivalente a um café em Paris, um ticket de metrô em Londres, até um jantar num restaurante famoso de Salvador, e assim por diante.
- *Se você e seu noivo vão morar fora da cidade ou do país:* coloquem a lista numa loja que faça entregas para lugares distantes ou esperem que os mais íntimos ofereçam espontaneamente o presente em dinheiro.

Viagens

Ao fazer a mala, separe tudo o que você pretende levar e ponha em cima da cama. Colocou? Então, pode tirar a metade. Garanto que foi demais. Agora arrume tudo na mala e pese: passou da conta? Tome um calmante e comece tudo de novo. Não saia de casa já com excesso de bagagem!

Viagem internacional

Na hora de separar as peças, procure ficar entre três ou quatro cores básicas, para não se perder em excessos. Economize em bolsas e sapatos, que, além de ocupar muito espaço na mala, costumam "engordar" durante a viagem. Em compensação, leve muitos acessórios, como bijuterias, echarpes e meias coloridas, que mudam a cara da roupa e não pesam quase nada.

Não se esqueça de incluir uma sacola extra de náilon dobrável para as compras. Dificilmente se resiste a elas. A mala bem planejada e arrumada é uma das boas maneiras de começar bem uma viagem.

Inverno na cidade

DURAÇÃO: 15 dias
ONDE: cidades como Buenos Aires, Paris e Nova York
CORES: duas neutras, uma cor da estação e uma cor forte

- 1 mantô neutro (preto, cinza ou marrom, que sirva para o dia e para a noite)
- 1 trench-coat impermeável
- 1 jaqueta de couro, camurça ou náilon
- 1 blazer, paletó ou jaqueta na cor preta
- 2 calças pretas (1 para o dia, com stretch; 1 para a noite)
- 2 calças (uma cáqui, outra cinza)
- 1 calça jeans
- 1 saia preta
- 1 vestido habilée (se tiver compromisso formal)
- 2 tops mais sofisticados para a noite (fru-frus, rendas, cetins); podem até ser decotados, pois, se você for dançar, os lugares normalmente são aquecidos
- 4 malhas leves (preta, bege e coloridas, listradas, de pouco volume: esquentam tanto quanto os malhões, sem fazer volume na mala)
- 2 camisetas brancas (de mangas longas)
- 2 camisetas pretas (1 de mangas curtas, 1 de mangas longas)
- 2 camisetes cor de pele, para usar sob as malhas
- 1 xale grande preto, vermelho ou estampado para saída noturna
- 2 cachecóis (1 preto, 1 colorido)
- 1 par de luvas
- 2 cintos (1 preto, 1 marrom)
- 1 par de sapatos resistentes para o dia
- 1 par de sapatos baixos para o dia
- 1 par de escarpins pretos para a noite
- 1 bolsona para o dia
- 1 bolsa pequena para a noite
- 1 quimono ou roupão
- 2 camisolas ou pijamas
- 2 pares de meias-calças grossas (1 preto, 1 vermelho)
- 1 par de meia-calça fina (preto)
- 4 pares de meias soquetes (2 pretos, 1 marrom e 1 branco)
- 4 sutiãs (2 brancos, 1 cor da pele, 1 preto)
- 8 calcinhas (4 brancas, 2 cor da pele, 2 pretas)

- Para caminhadas/esportes: a sua roupa favorita + tênis

Verão na cidade

DURAÇÃO: 15 dias
ONDE: cidades como Paris, Miami e Roma
CORES: cru, branco, bege, preto, uma cor viva e um tom mais claro

- 1 paletó ou jaqueta de tecido + calça para a noite
- 1 paletó ou jaqueta de tecido + calça ou saia para o dia
- 1 calça cáqui para o dia
- 1 calça cápri cáqui ou de outra cor neutra para o dia
- 1 calça jeans
- 1 calça cápri preta
- 1 saia cáqui ou em outro tom neutro para o dia
- 1 saia leve
- 2 vestidos para a noite (1 preto, 1 colorido)
- 2 vestidos coloridos (1 estampado, 1 liso) para o dia
- 4 camisetas (2 coloridas, 1 branca, 1 listrada)
- 2 camisas, blusas ou túnicas (1 branca, 1 de outra cor)
- 4 tops decotados para usar embaixo dos paletós ou avulsos (regatas, de alcinhas)
- 1 par de sapatos de salto alto
- 2 pares de sandálias (1 para o dia, 1 de salto alto para a noite)
- 1 par de sandálias esportivas para o dia (baixas coloridas)
- 1 par de sapatilhas coloridas
- 1 bolsa esportiva maior
- 1 bolsa pequena para a noite
- 2 camisolas, pijamas ou camisetas para dormir
- 1 quimono de algodão
- 2 pares de meias soquetes (brancos)
- 4 sutiãs (2 brancos, 1 cor da pele, 1 preto)
- 8 calcinhas (4 brancas, 2 cor da pele, 2 pretas)

- Para caminhadas/esportes: a sua roupa favorita + tênis

Se a cidade tiver praia, acrescente:

- 2 bermudas (ou 1 bermuda e 1 short)
- 1 maiô e 2 biquínis
- saídas de praia (canga, camiseta, camisa, etc.)
- 1 chapéu ou boné
- 1 bolsa de praia
- 1 par de chinelos

Negócios

Viagem de trabalho não pressupõe tempo a perder – muito menos com roupas. Faça um cálculo de a quantas reuniões, almoços e coquetéis você vai ter que ir e planeje uma mala de acordo. Sem excessos; só com o essencial. Deixe a cabeça livre para os negócios.

Privilegie os tecidos que não amassam. Mas conte com a colaboração do chuveiro do hotel, um grande passador de roupa: enquanto você toma o banho, pendure a peça num local próximo; o vapor faz o restante...

DURAÇÃO: 7 dias
ONDE: eventos, congressos, feiras e convenções
CORES: preto, branco, bege, cáqui e uma cor da moda

- 1 terno ou tailleur preto (blazer + saia + calça)
- 1 terno ou tailleur de cor neutra – cáqui, marinho, bege (blazer + saia + calça)
- 1 jaqueta ou paletó avulso para combinar com as calças ou saias dos outros ternos (xadrez, risca de giz)
- 1 jaqueta de couro ou tecido (não jeans)
- 1 suéter leve
- 1 cardigã
- 1 calça preta, cinza ou marinho
- 1 vestido preto para a noite
- 2 vestidos para jantar (podem ser do tipo envelope de jérsei, que são femininos e não ocupam muito espaço na mala)
- 2 camisetas brancas
- 2 camisetas pretas
- 1 camiseta listrada preta e branca
- 2 camisetas coloridas
- 2 blusas para a noite (renda, frufrus, cetim)
- 2 camisas brancas
- 1 par de escarpins para o dia (altos ou baixos)
- 1 par de escarpins pretos
- 1 par de sandálias de salto alto para a noite
- 2 bolsas – você não vai ficar trocando de bolsa; basta uma grande para o dia e a pequena para a noite
- 2 cintos
- 3 lenços ou echarpes
- 2 pares de meias soquetes
- 3 sutiãs (1 branco, 1 preto, 1 cor da pele)
- 5 calcinhas (3 brancas, 1 preta, 1 cor da pele)
- meias-calças (neutras e coloridas)
- 1 roupão
- 1 camisola
- 1 chinelo

- Para caminhadas/esportes: a sua roupa favorita + tênis

Viagem de férias

Você trabalhou o ano inteiro e tem todo o direito de fazer uma viagem para aproveitar. Não encha a sua lista com compromissos demais e prazer de menos...

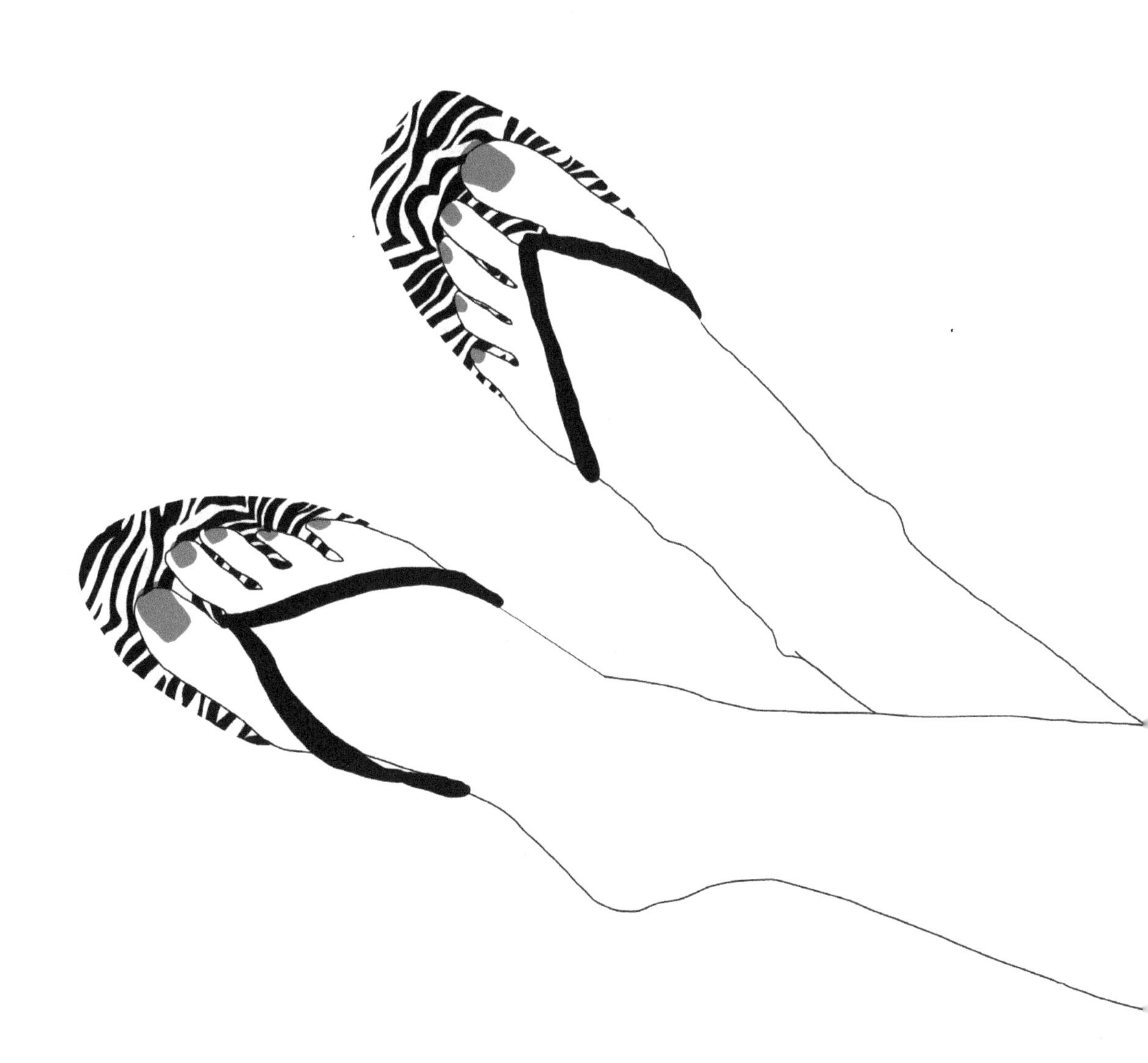

Férias de inverno no campo

DURAÇÃO: 15 dias
ONDE: cidades como Campos do Jordão e Petrópolis
CORES: azul jeans, preto, uma cor neutra (cáqui, marinho ou marrom) e cores vivas para lãs

- 1 jaqueta impermeável de náilon
- 1 jaqueta jeans
- 1 jaqueta de couro
- 1 poncho, pelerine ou xale grande
- 2 calças jeans
- 4 calças (2 mais leves, 2 mais quentes)
- 1 camisa (xadrez, jeans ou branca)
- 1 saia ou minissaia (pode ser jeans)
- 1 bermuda ou short
- 5 malhas de lã (1 de gola alta, 2 de gola redonda, 2 em V)
- 4 camisetas de mangas longas (1 preta, 1 branca, 2 coloridas)
- 2 camisetas de mangas curtas (1 preta, 1 branca)
- 1 par de botas marrons
- 1 par de botas pretas para a noite
- 1 par de sapatos baixos de amarrar
- 1 par de chinelos invernais (opcional)
- 1 mochilão para o dia
- 1 bolsa para a noite
- 2 cintos
- vários cachecóis, gorros, luvas
- 1 quimono ou roupão
- 2 pijamas
- 6 pares de meias soquetes (2 brancos, 2 escuros, 1 preto e 1 para dormir)
- 4 sutiãs (2 brancos, 1 cor da pele, 1 preto)
- 8 calcinhas (4 brancas, 2 cor da pele, 2 pretas)
- 1 maiô + 1 par de chinelos (para sauna ou piscina aquecida do hotel)

- Para caminhadas/esportes: a sua roupa favorita + tênis

Férias de verão na praia (com opções de roupas para Natal e *réveillon*)

DURAÇÃO: 15 dias
ONDE: praias como Trancoso, Pipa e Porto de Galinhas
CORES: branco, cru, bege, uma cor viva e um tom mais claro

- 2 cardigãs leves ou malhas de rede mais chics para se proteger do vento noturno
- 1 jaqueta leve de jeans ou moletom
- 1 jaqueta de náilon com capuz ou capa plástica (sempre chove no verão)
- 1 calça de brim leve (marinho, areia, cáqui, colorida)
- 1 calça de viscose estampada do tipo Bali ou saia jeans para a noite
- 2 bermudas
- 2 shorts
- 2 leggings ou 2 saias (1 minissaia jeans e 1 curta ou longa)
- 1 túnica/vestidinho curto para tarde ou noite
- 1 vestido branco de algodão, curto ou longo, bordado, especial para a noite de *réveillon*
- 1 vestido estampado para a noite de Natal, curto ou longo, dependendo da moda
- 4 camisetas/tops coloridos (regatas ou tops mais fashion)
- 2 camisetas brancas (1 simples, 1 mais caprichada)
- 2 blusas leves (bordadas ou com detalhes diferentes)
- 2 camisas brancas (embora só aguentem ser usadas uma vez cada uma)
- 5 biquínis
- 2 maiôs inteiros
- 4 saídas de praia (canga, camiseta, vestidinho, túnica, que não façam volume na mala)
- 1 boné e 1 chapéu (1 para a praia, 1 para uso diário)
- 2 chinelos tipo Havaianas® (ouro e prata)
- 1 par de sandálias baixas de cor neutra
- 1 par de sandálias para a noite
- 1 sacolona para a praia
- 1 clutch de palha para a noite
- 2 camisetas para dormir
- 1 quimono de algodão
- 3 pares de meias soquetes (brancos)
- 3 sutiãs (1 branco, 1 preto, 1 cor da pele)
- 8 calcinhas (brancas, pretas, cor da pele)
- lencinhos para o cabelo e bijuterias à vontade

- Para caminhadas/esportes: a sua roupa favorita + tênis

Fim de semana

A mala deve ser pequena, racional e completa. Não complique, não sobrecarregue e não atravanque a sua mala. A hora é de descansar e de se divertir. Dê um oxigênio à sua vida e a seus pulmões...

Se você ficar hospedada em casa de amigos ou parentes, não assuste os anfitriões chegando com malas enormes e dando a impressão de que veio para uma temporada. Lembre-se de levar um presentinho para quem vai recebê-la. Na despedida, verifique se não faltou nada na lista, para não deixar rastro de sua passagem, como xampus no banheiro, maiôs no varal...

Na praia, temperatura quente

- 2 biquínis (ou 1 maiô, 1 biquíni)
- 1 canga
- 1 chapéu ou boné
- 1 bolsa para a praia
- 1 ou 2 saídas de praia
- 3 camisetas (brancas e coloridas)
- 2 bermudas (ou 1 bermuda, 1 short)
- 1 jaqueta bem leve ou de jeans branco/neutro
- 1 calça
- 2 vestidinhos (ou minissaias + tops para a noite)
- 1 par de chinelos de praia
- 1 par de sandálias ou sapatilhas
- 1 par de sandálias para a noite
- 1 quimono de algodão
- 1 camisola
- 2 pares de meias soquetes (brancos)
- 2 conjuntos de lingerie
- lenços, bijuterias e outros acessórios que não pesem na mala

- Para caminhadas/esportes: a sua roupa favorita + tênis

No campo, temperatura "friozinho"

- 2 biquínis (ou 1 biquíni, 1 maiô)
- 1 saída de piscina ou sauna
- 1 par de chinelinhos para pés molhados
- 1 chapéu
- 1 jeans
- 1 camisa jeans
- 1 camisa xadrez ou listrada
- 2 camisetas
- 2 bermudas
- 2 calças para a noite ou uma calça e uma saia (ou minissaia)
- 1 malha ou blusa para a noite
- 1 cardigã
- 1 jaqueta ou um casaquinho de couro, camurça, jeans
- 1 par de botas
- 1 par de sapatos baixos de amarrar
- 1 quimono ou roupão
- 1 camisola
- 1 par de meia-calça (preta ou colorida)
- 3 pares de meias soquetes
- 2 conjuntos de lingerie
- xales, echarpes, lenços e outros acessórios que não pesem na mala

- Para caminhadas/esportes: a sua roupa favorita + tênis

dica definitiva

Coisas que não podem faltar

Já deve ter acontecido com você (como já aconteceu comigo): lembrar, no meio da viagem, que esqueceu um remédio, a escova preferida de cabelo, a tesourinha sem a qual você não vive, ou, pior, algum acessório que pode custar um dinheiro que não precisava gastar! Tudo isso pode ser evitado com um planejamento melhor das coisas que vão junto com você e do nécessaire bem arrumado:

CHECKLIST DAS COISAS QUE VÃO NA BOLSA DE MÃO

- documento de identidade e passaporte
- passagens
- reservas de hotéis
- carteira de motorista
- dinheiro, cheques de viagem, cartão de crédito
- guia de viagem da cidade para onde você vai
- livro ou revista
- máquina de fotografar e seus acompanhamentos (bateria, filmes)
- celular e carregador (se for o caso)
- notebook e acessórios (se for o caso)
- caderninho de endereços
- hidratante (mini)
- desodorante (mini)
- lenços umedecidos
- escova de dentes, minipasta e fio dental
- óculos (de grau e escuros ou kit lentes de contato)
- medicamentos
- joias

CHECKLIST DE TOILETTE (COISAS QUE VÃO NA MALA)

PARA OS CABELOS

- grampos e elásticos
- 1 pente e 1 escova normal ou redonda
- xampu e condicionador
- touca de chuveiro
- secador de cabelo (se não for se hospedar em hotel)

PARA ROSTO E CORPO

- protetores solares
- creme de limpeza, loção tônica e cremes noturnos
- hidratante (rosto e corpo)
- cotonetes e algodão
- absorventes
- curativos
- estojinho de unha com esmaltes
- perfume
- kit de maquiagem (o da sua preferência)
- pinça
- escova de dentes, pasta e fio dental

Leve seu travesseiro (se você for maníaco e não dormir sem o seu) e protetores auriculares para viagens longas (se for seu hábito).

8
Agora
é
com
você

[...]

Passeiam, à tarde, as belas na Avenida.
São tão belas como as vejo, ou mais ainda?
Só de passar, só de lembrar que passam, a beleza
nelas se crava eternamente, adaga de ouro.

Passeiam na Avenida, à tarde, as belas
as sempre belas no futuro mais remoto.
Pisam com sola fina e saltos altos
de seus sapatos de cetim o tempo e o sonho.

À tarde, na Avenida, passeiam as belas,
seios cuidadosamente ocultos mas arfantes,
pernas recatadas, mas sabe Deus as linhas perturbadoras
que criam ritmos, e o caminho branco é todo ritmo.

[...]

Carlos Drummond de Andrade, *Passeiam as belas*.

Toda vez que eu penso em alguém extravagante me vem à cabeça a figura de um aqualouco. Sua roupa colante de listras. Seus pulos do trampolim. As loucuras que inventa, deixando a gente com o coração na mão.

Mais do que despertar espanto, o aqualouco exibe técnica e precisão. Tudo combina com sua figura. Para dizer a verdade, esse falso louco é mesmo o grande senhor da piscina. Um atleta. Ao mesmo tempo, um grande ator.

Pode soar estranho que eu pense num aqualouco ao falar de moda e estilo. É que estou pensando em alguém que domina a técnica e vai além. Talvez ainda não seja a hora de querer que você saia por aí dando um salto mortal, experimentando de uma só vez tudo o que aprendeu. Eu ficaria muito feliz se soubesse que você está confiante o suficiente para dar suas primeiras e gostosas braçadas.

Primeiro, domine o básico da sua aparência. Depois, vai ficar fácil dar grandes mergulhos. Porque só pode ser aqualouco quem nada muito bem.

Este livro pretendeu dar a você elementos básicos para as primeiras braçadas. Isso não quer dizer que precise tornar a sua vida um inferno, pensando o tempo todo se está errando, acertando, combinando. Logo vai perceber que as informações e regras, que pareciam complicadas, começarão a ser incorporadas com naturalidade no seu dia a dia. Será como dirigir um carro, sem pensar na sequência de marchas necessária para fazê-lo andar.

E, quando você se der conta, seu depoimento por meio da roupa, da maquiagem, do acessório será cada vez mais coerente. Isto é: o sucesso na construção de seu estilo vai depender de quanto ele estiver em harmonia com o que você é.

Chic é a pessoa que faz o melhor depoimento sobre sua identidade, e apresenta seu estilo de maneira mais refinada, mais apurada, mais clara. Ela é chic quando interioriza todas as regras do bem vestir e do conviver de maneira natural, sem esforços, sem sobressaltos. Nunca se tem a impressão de esforço quando se olha uma pessoa chic.

Chic é quem conhece todas as peças do jogo – e joga com mais charme. Como se tivesse um truque, uma carta a mais que os outros. Sabe usar um básico de forma criativa, enfrenta uma noite de gala com naturalidade, prepara com a mesma facilidade uma viagem de volta ao mundo ou uma mochila para o fim de semana. Uma questão de escolha, de atitude e de sabedoria. Até o extravagante é natural nela. Tudo o que faz e veste se parece com ela e com sua vida.

Ela tem mais do que estilo, ela tem o melhor estilo. Por isso é chic. Às vezes, por extrema simplicidade. Outras, pelo requinte e sofisticação.

Chic com muito pouco.

Chic com muito.

Você também está com todas as cartas nas mãos.

Na realidade, estamos falando de um jogo especial, onde o que está em evidência é a identidade de cada um. Mas um jogo que também diverte, ensina e faz refletir. A moda é cheia de truques e regras. Em compensação, oferece um grande privilégio, um presente raro: a liberdade total de escolher. Não é pouca coisa!

A vida tem de ser vivida da melhor maneira possível. Use seus conhecimentos, sua criatividade. Não leve o jogo da moda tão a sério, e vá em frente.

Os caminhos estão abertos. Agora é com você.

Gloria Kalil

Preciso de harmonia à minha volta
mais do que comida, bebida e sono...

Marlene Dietrich

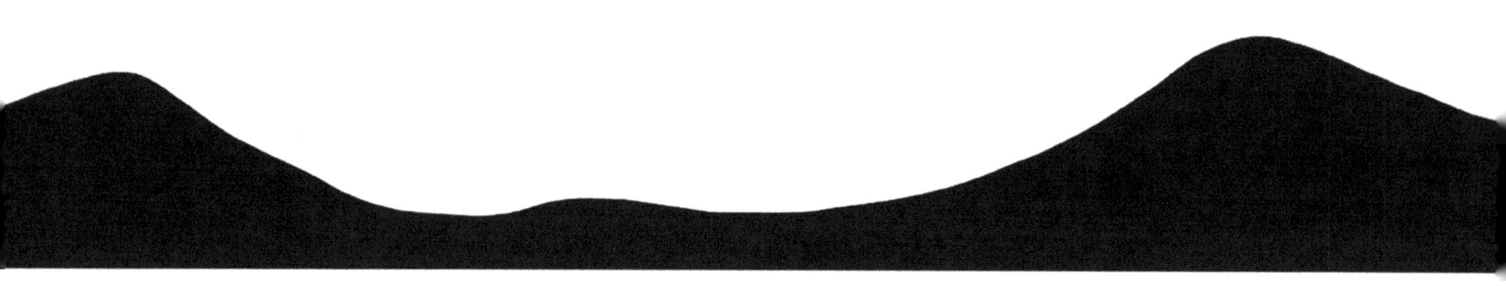

Glossário

BELEZA

ALOPECIA: popularmente conhecida como calvície. O nome científico é alopecia androgenética. Embora o componente hormonal da calvície atue de forma diferente nas mulheres em relação aos homens, em ambos ela é causada pela associação de interferências hormonais a fatores genéticos. A questão hereditária é relativa, pois nem todas as pessoas terão as mesmas características de seus familiares, ou seja: existe homem calvo cujo pai ou avô não apresentam o mesmo grau de calvície, e isso também ocorre nas mulheres.

LASERS: refere-se aos tratamentos médicos feitos com uso da máquina que produz um feixe de luz concentrado. Na pele, são indicados para eliminação de manchas, produção de colágeno, depilação definitiva, etc.

A MODA DE TODO DIA

ANABELA (OU WEDGE): tipo de salto compacto, dos anos 1930, que começa mais alto no calcanhar e diminui até a parte frontal do pé. Varia na altura. De tempos em tempos, as anabelas de corda e cortiça voltam à moda.

ANKLE BOOT: bota de cano curto, na altura do tornozelo.

BORZEGUIM: tipo de bota curta como o *botim*, com malha elástica para ser facilmente calçada, fechada na frente e com cano curto; ou como *coturno* de soldados: o cano até o meio da perna, fechado por cordões entrelaçados presos em ilhoses ou ganchos.

BROGUE: modelo de calçado rústico com cadarço usado por trabalhadores irlandeses em torno de 1790. Com o tempo, ganhou status, cores e perfurações, e hoje costuma denominar os sapatos masculinos de amarrar do tipo *oxford* (ver oxford).

CASUAL FRIDAY: é a sexta-feira em que os executivos e funcionários de companhias formais estão liberados a usar peças do seu guarda-roupa casual. Para os homens, significa estar livre do terno e da gravata.

CLOG: tamanco, calçado rústico, tradicionalmente de solado de madeira, utilizado por trabalhadores para proteger os pés em minas, fábricas, fazendas e até em cozinhas profissionais. Há uma variedade de formatos: desde botas pesadas, passando por sandálias com solas de madeira e ponteira de aço aos modelos de plástico.

CLUTCH: em inglês, agarrar. É a bolsa para carregar na mão, mais conhecida como carteira. Pode ou não ter alça.

EASY: estilo relax. No caso do jeans: folgadão, confortável.

MEIA-PATA: é o solado de plataforma na parte da frente de sapatos e sandálias, feito para reduzir a inclinação e o desconforto de saltos altíssimos.

MULE: retire a parte de trás do seu escarpin e você terá um *mule*. Esse tipo de "chinelo de quarto" pode ser encontrado em diversos modelos, desde os bicudos até os abertos como sandálias.

OVERSIZED: em inglês, grande demais. Refere-se às tendências de óculos, bolsas, calças, jeans e outras peças em tamanho bem maior do que o convencional.

OXFORD: nome dado a um sapato masculino fechado, de amarrar, muitas vezes com solado de crepe ou de borracha. Entretanto, desde os anos 1920, entrou no guarda-roupa das mulheres acompanhando calças, saias e vestidos.

PEEP TOES: modelos de sapato que possuem um recorte na frente, expondo a ponta dos dedos.

COM QUE ROUPA?

BOYFRIEND: em inglês, namorado. De vez em quando, a palavra vem à moda para se referir às peças de roupa de tamanho extra usadas pelas mulheres, como se emprestadas do guarda-roupa do namorado. No caso do jeans, refere-se aos bem folgados, largos, com gancho fundo, cintura ajustada por cinto ou cordões e barra dobrada.

CHENILE: do francês *chenille*, refere-se tanto ao fio aveludado de algodão, lã, seda ou raiom, de fibras salientes, quanto ao tecido feito desse fio. É usado em roupas e em decoração – especialmente em estofamentos.

COCKTAIL DRESS: vestido curto, feito de tecidos mais estruturados e nobres, perfeito para ocasiões especiais que não peçam longo. Ele é chic, fácil e resolve com harmonia vários compromissos formais. Lembra-se do vestido preto de Givenchy que Audrey Hepburn usou no filme *Bonequinha de Luxo*, em 1961? É, até hoje, sua melhor tradução.

MIX: de *mixture* – em inglês, mistura. A ideia é misturar roupas, texturas e tecidos que, aparentemente, não combinam entre si.

MOHAIR: palavra árabe que dá nome ao fio e ao tecido suave e volumoso confeccionado do pelo longo e branco da cabra angorá. Pode ser puro ou mesclado a outras fibras.

PAREÔ: traje típico da Polinésia, usado amarrado na cintura por homens e mulheres; pano florido. Em 1934, o pareô criado pelo francês Jacques Heim (o mesmo do maiô "átomo", semelhante ao biquíni) foi sucesso no balneário de Biarritz. No Brasil, a canga de praia costuma ser amarrada como pareô.

SPENCER: lançado pelo inglês Lord Spencer no século XIX. Paletó curto, acima da cintura, usado por homens e mulheres.

VIAGENS

PARCA: no guarda-roupa masculino, é a mistura bem-sucedida do mantô, do paletó e da capa de chuva, pois protege do vento e da água e aquece o traseiro, por ser mais longa. Na versão feminina, mantém o corte amplo, os bolsos utilitários e pode ter ou não capuz. Porém, costuma ser mais leve e fashion.

PELERINE: gola muito ampla ou capa que cobre os ombros usada no passado pelos peregrinos (do francês *pélerins*). As mais compridas, em geral godês, trazem fendas para enfiar os braços.

TRENCH COAT: capa de chuva para ser usada na trincheira (do inglês *trench*) e no campo de batalha durante a Primeira Guerra, criada por Thomas Burberry para os soldados britânicos. A tradicional (com forro xadrez burberry) é de gabardine bege, com corte masculino, cinto e comprimento abaixo dos joelhos.

Bibliografia

CITAÇÕES

ANDRADE, Carlos Drummond de. "Eu, etiqueta". Em *Corpo*. Rio de Janeiro: Record, 1986.

_______. "Miniblusa". Em *Nova reunião*. Vol. 2. Rio de Janeiro: José Olympio, 1987.

_______. "Passeiam as belas". Em *Nova reunião*. Vol. 2. Rio de Janeiro: José Olympio, 1987.

ANTUNES, Arnaldo & BEN JOR, Jorge. "Cabelo". Warner/Chappell, 1990.

ARMANI, Giorgio. *Vogue*. Nova York: Condé Nast, 1993.

BANDEIRA, Manuel. "Mulheres" (*Libertinagem*). Em *Estrela da vida inteira*. Rio de Janeiro: José Olympio, 1966.

BORGES, Jorge Luis. "Eternidades". Em *Obras completas*. Buenos Aires: Emecé, 1974.

CARROLL, Lewis. *Aventuras de Alice no País das Maravilhas & Através do espelho e o que Alice encontrou lá*. São Paulo: Summus, 1980.

CIORAN, Emile M. Em GRAIZON, Christophe. *La tribu*. Paris: Nil Éditions, 1995.

CUNHA, Euclides da. *Os sertões*. Rio de Janeiro: Francisco Alves, 1957.

DIETRICH, Marlene. *ABC de Marlene Dietrich*. São Paulo: Marco Zero, 1985.

LISPECTOR, Clarice. *Uma aprendizagem ou O livro dos prazeres*. Rio de Janeiro: Nova Fronteira, 1980.

MANN, Thomas. *A montanha mágica*. Trad. Herbert Caro. Rio de Janeiro: Nova Fronteira, 1980.

FONTES

ALFANO, Jennifer. *The new secrets of style*. Nova York: In Style and Time, 2009.

CATELLANI, Regina Maria. *Moda ilustrada de A a Z*. Barueri: Manole, 2003.

DIMEO-EDIGER, Winona. *Closet confidential: style secrets learned the hard way*. Seattle: Sasquatch Books, 2009.

KALIL, Gloria. *Alô, Chics!* São Paulo: Ediouro, 2007.

_______. *Chic[érrimo]: moda e etiqueta em novo regime*. São Paulo: Ediouro, 2008.

_______. *Chic homem: manual de moda e estilo*. São Paulo: Editora Senac São Paulo, 1998.

KELLY, Clinton. *Frakin'Faboulous: how to dress, speak, behave, entertain, decorate, and generally be better than everyone else.* Nova York: Simon Spotlight Entertainment, 2008.

LEHU, Pierre A. & MARTIN, Jill. *Fashion for dummies*. Indiana: Wiley Publishing, 2010.

LEVI, Jenny. *Harper's Bazaar great style: best ways to update your look.* Hearst Communications, 2007.

MACEDO, Otávio R. *A construção da beleza*. São Paulo: Globo, 2005.

O'KEEFFE, Linda. *Sapatos (uma festa de sapatos de salto, sandálias, chinelos...)*. Colônia: Köneman, 1996.

STRALEY, Carol. *Sensational scarfs.* Nova York: Crown Publishers, 1985.

VENTURA, Deborah Sollito & VENTURA JUNIOR, Francisco. *Olhar atento: como escolher e usar óculos*. São Paulo: Editora Senac São Paulo, 2008.

Agradecimentos

COLABORADORES

Evandro Ângelo, *beauty-artist*.

Dr. Francisco Le Voci, dermatologista e especialista em cirurgia capilar, membro efetivo da Sociedade Brasileira de Cirurgia Dermatológica e do International Society of Hair Restoration Surgery.

Dr. Ithamar Nogueira Stocchero, membro titular da Sociedade Brasileira de Cirurgia Plástica.

Jean Luc Morineau, perfumista, da L'Atelier Parfums.

Dr. Otávio Roberti Macedo, membro fundador da Sociedade Brasileira de Laser em Medicina e Cirurgia, membro da Academia Americana de Dermatologia, da Sociedade Brasileira de Dermatologia e autor de *A construção da beleza*.

Renata Bardelini e Denise Coutinho, da Natura.

Créditos

CRÉDITOS DO CAPÍTULO "OS BIÓTIPOS"
FOTOS: Thales Trigo
ASSISTENTE DE FOTOGRAFIA: Angela Aguiar
TRATAMENTO DE IMAGENS: Junior Ribeiro

CRÉDITOS DE PRODUÇÃO, BELEZA E FOTOS
MARCAS PARTICIPANTES: American Apparel, Arezzo, Banana Price, Bob Store, By Champagne, Colcci, Corello, Ellen Brook, Fillity, Forum, K-695, Lupo, Malwee, Mara Mac, Maria Bonita, Maria Bonita Extra, Mulher Elástica, Nem, Patogê, Renner, Spezzato, Tufi Duek, Uma, Valisere, Vizzano para C&A, Yzzia.

COLABORAÇÃO NA PRODUÇÃO DAS FOTOS
SENAC SÃO PAULO
Gerência de Desenvolvimento 1
GERÊNCIA: Sandra Regina Mattos Abreu de Freitas
ASSISTENTE DE GERÊNCIA: Melina Garcia Cunha Sanjar
Área de Moda
COORDENAÇÃO: Marta Raquel Fernandes Magri, Tatiana Oliveira Pucci

PRODUÇÃO DE MODA E EXECUTIVA: Agência Moda no Figurino
PRODUÇÃO EXECUTIVA: Flavio Oliveira
COORDENAÇÃO DE MODA: Alexandre Duarthe
ASSISTENTES DE PRODUÇÃO DE MODA: Flavia Arantes, Julia Chaibub
PRODUÇÃO DE SET: Eduardo Duarte
BELEZA: Alessandro Tierni
ASSISTENTE: Margareth Farias
CAMAREIRA: Camarim São Paulo

CASTING DO CAPÍTULO "OS BIÓTIPOS"
Bruna Escabrós, Gabriela Honain, Gabriele Portella, Maíra Goldschmidt, Mychelle Favarello (Jolie Models), Pâmela Herrera.

FOTO P. 12
© Bettmann/Corbis (DC)/Latinstock

Printed in the USA
CPSIA information can be obtained
at www.ICGtesting.com
LVHW071506301023
762542LV00012B/43